Leabhraichean ùra Gàidhlig
Oilthigh Ghlaschu

Fo stiùireadh
RUAIRIDH MhicTHOMAIS

Aireamh 11

BUN-CHURSA GAIDHLIG
Scottish Gaelic, a Progressive Course
le
Bill Blacklaw

Clo-bhualaidhean Roinn nan Cànan Ceilteach:

Aireamh

1 LAITHEAN GEALA
Le Murchadh MacLeòid

2 AN DUBH IS AN GORM
le Iain Mac a' Ghobhainn

3 ROSG NAN EILEAN
deas. le Alasdair I. MacAsgaill

4 BRISEADH NA CLOICHE AGUS SGEULACHDAN EILE
deas. le Coinneach D. MacDhòmhnaill

5 MAR SGEUL A DH'INNSEAS NEACH
le Cailein T. MacCoinnich

6 A' LETH EILE
le Cailein T. MacCoinnich

7 NACH NEONACH SIN
le Cailein MacCoinnich

8 EADAR FEALLA DHA IS GLASCHU
le Iain Mac a' Ghobhainn

9 AN T-AONARAN
le Iain Mac a' Ghobhainn

10 CO GHOID AM BOGHA FROIS?
le Fearghas MacFhionnlaigh

11 BUN-CHURSA GAIDHLIG
Scottish Gaelic, a Progressive Course le Bill Blacklaw

12 'S FHEAIRRDE DUINE GAIRE
le Teàrlach MacLeòid

13 EILEANAN
le Maoilios M. Caimbeul

14 MOCHTAR IS DUGHALL
le Deòrsa Caimbeul Hay

15 NA h-EILTHIRICH
le Iain Mac a' Ghobhainn

16 CNU A MOGAILL
le Uilleam Neill

17 CASAN RUISGTE
le Donnchadh MacLeòid

18 GAELIC VERBS
Systemised and Simplified
le Colin B.D. Mark

19 AN t-EILEAN agus AN CANAN
le Iain Mac a' Ghobhainn

20 SEACHD LUINNEAGAN LE SHAKESPEARE
le Donnchadh MacIllIosa

(Tha àireamhan 2, 3, 4, 5, 6 a-mach à clò)

Bun-Chursa Gaidhlig

Scottish Gaelic, a Progressive Course

Bill Blacklaw

Roinn nan Cànan Ceilteach
Oilthigh Ghlaschu
1991

Air fhoillseachadh an toiseach 1978
Dealbh-bhualadh 1982
An dara deasachadh 1989

Foillsichte le
Roinn nan Cànan Ceilteach
Oilthigh Ghlaschu
Glaschu G12 8QQ

Clo-bhuailte le
Bell & Bain, Glaschu

ISBN 903204 09 6

Thug an Comann Leabhraichean cuideachadh don
Fhoillsichear le cosgaisean an leabhair seo

FOREWORD

I should like, right from the beginning, to stress that this is not in any way intended to be a "Teach-Yourself" course. Nor is it intended to be a comprehensive, all-encompassing grammar book. What I have attempted to write here is a progressive course which provides:

    (a) the basic grammar of the language, introduced a little at a time, in a natural and modern context
    and
    (b) a reasonably wide vocabulary to cope with ordinary day-to-day topics.

This vocabulary goes well beyond what is required to complete the exercises in the course, but, like the course itself, is not intended to be anything other than a framework to build on.

As concerns the grammar content, I have omitted everything which, in my opinion, is not essential to a good fundamental knowledge of the language. Having said that, I would repeat that the book is intended to provide only a framework for the course teacher to build upon. The exercises are, in themselves, not sufficient to provide more than an indication that the point being taught has been understood; the course teacher is essential to provide further practice, to extend the vocabulary and to introduce the idiomatic usages of the language which play such a large part in both spoken and written Gaelic. For the same reason, I have avoided any attempt to provide help with pronunciation which, again in my opinion, can be successfully achieved only through living contact with the spoken word; i.e. through the presence of a Gaelic-speaking teacher.

I should like to thank in particular the three people who have done most to bring about the compilation of this book: Professor Derick Thomson, who gave me, first the idea of writing it and then the encouragement to complete it; Mrs. Peigi Eady, of Corriebroom, Ardoe, whose unfailing enthusiasm for the language and practical assistance spurred me on; and Mr. Uisdean MacRae, my first Gaelic teacher, who did so much to develop my love of Gaelic and who so willingly checked my scripts.

Finally I should like to express the hope that, with this book, I am contributing a little towards the preservation of our language and, at the same time, going some way to dispel the idea that Gaelic is the "bogey-man" of languages that it is claimed to be by many people who, I have found, are usually misinformed or have never followed a well-organised course in the language.

Suas leis a' Ghàidhlig!

Bill Blacklaw
Aberdeen 1989

CLAR-INNSIDH — CONTENTS

		Page
1.	The Verb "to be" — present tense (affirmative), adjectives	1
2.	The Verb "to be" — present interrogative, negative, negative interrogative	1
3.	The Noun, definite and indefinite	2
4.	YES AND NO. Past tense of "to be"	3
5.	Simple prepositions. Christian names	4
6.	Prepositions continued	6
7.	Further simple prepositions. Place names	7
8.	Future tense of "to be". Verbal nouns	8
9.	Subjunctive tense of "to be"	10
10.	Interrogative words	11
11.	The verb "to have". Prepositional pronoun *agam*	12
12.	Vocabulary	13
13.	Possessive adjectives. Dependent form of the verb	14
14.	Imperatives	15
15.	Days of the week. Numbers 1 — 30. Time	17
16.	Past tense of regular verbs. Further verbal nouns	19
17.	Irregular verbs (past tense)	21
18.	Prepositional pronouns (*air, le, do, ri*)	23
19.	Prepositional *aig* and *ann* with possessive adjectives	24
20.	Gender of nouns	26
21.	The Dative Case (Masculine Nouns)	27
22.	The Dative Case (Feminine Nouns)	28
23.	The Genitive Case (Masculine Nouns). Uses of the genitive	30
24.	The Genitive Case (Feminine Nouns)	32
25.	The Future Tense (Regular Verbs)	34
26.	The Future Tense (Irregular Verbs)	35
27.	The Relative Future	37
28.	The Subjunctive Tense (Regular Verbs)	38
29.	The Subjunctive Tense (Irregular Verbs)	39
30.	The Assertive Verb	40
31.	Relative Pronouns	42
32.	The Plural of Masculine Nouns	43
33.	The Plural of Feminine Nouns	46
34.	The Genitive Plural of Nouns	47
35.	Towns and Countries	48
36.	Irregular Nouns (Masculine)	50
37.	Irregular Nouns (Feminine)	52
38.	Numbers over 30. General rules concerning numbers	54
39.	Adjectives — position and agreement	55
40.	Comparison of adjectives (Regular). Months, seasons, special days	57
41.	Comparison of adjectives (Irregular)	58
42.	IF	59
43.	Compound Prepositions. Prepositions taking cases other than the Dative	60

44.	Adverbs	62
45.	Defective Verbs	64
46.	The Passive	65
47.	Compound Tenses	67
48.	Conjunctions	69
49.	Test Sentences	70
	Appendix A — Numerals	72
	Appendix B — Nouns	75
	Appendix C — Prepositional Pronouns	76
	Appendix D — The Verb	77
	Appendix E — Verbal Nouns	80
	Vocabulary	83

A' CHIAD LEASAN

The Verb "to be" — Present Tense

The verb has one form for all parts — the word **THA**. To this is added the subject, whether a noun or a pronoun.

tha mi — I am	**tha sinn** — we are
tha thu — you are	**tha sibh** — you are
tha e — he is	**tha iad** — they are
tha i — she is	

Note that in Gaelic the verb comes first and then the subject.

Vocabulary

mi	— I, me	sinn	— we, us	mòr	— big	tioram	— dry
thu	— you	sibh	— you	beag	— little	fliuch	— wet
e	— he, him	iad	— they, them	fuar	— cold	trang	— busy
i	— she, her	sgìth	— tired	blàth	— warm	leisg	— lazy

Exercise 1.   Read the following sentences and translate them into English:

1. Tha iad sgìth.   2. Tha mi trang.   3. Tha e leisg.   4. Tha sinn fuar
5. Tha thu tioram. 6. Tha i beag.   7. Tha sibh mòr.   8. Tha e blàth.

Exercise 2.   Translate into Gaelic:

1. I am cold   2. They are busy.   3. We are tired.   4. She is lazy.
5. You are warm. 6. He is small.   7. You are wet.   8. It is cold.

AN DARA LEASAN

The form **THA** can be used only for making a statement and is known as the *Affirmative*. Separate forms are used to ask questions (*Interrogative*), to make a sentence negative (*Negative*) and to ask a question in the negative (*Negative Interrogative*).

1

Thus we have:

Affirmative: **Tha** e sgìth — He is tired.
Interrogative: **A bheil** e sgìth? — Is he tired?
Negative: **Chan eil** e sgìth — He isn't tired.
Neg. Interr.   **Nach eil** e sgìth? — Isn't he tired?

By replacing **THA** in what we have learned in Lesson 1, we can now use the other three forms.

Exercise 1.   Read the following sentences and translate them into English:

1. Chan eil mi trang.   2. Nach eil sibh fuar?   3. A bheil thu sgìth?
4. Tha iad leisg.   5. Nach eil e blàth?   6. A bheil i beag?
          7. Tha sinn fliuch.   8. Chan eil e tioram.

Exercise 2.   Translate into Gaelic:

1. They aren't lazy. 2. Is she tired? 3. Aren't you cold? 4. He is big.
5. Are they wet?   6. He isn't busy? 7. Isn't she warm? 8. You are lazy.
              9. Are you warm?

AN TREAS LEASAN

The noun in Gaelic

In Gaelic there is no word for *a* or *an*. Thus the indefinite noun is written with no article. e.g.

duine	— a man	**doras**	— a door	**bàta**	— a boat
là or **latha**	— a day	**taigh**	— a house	**peann**	— a pen

To express the word *the* in Gaelic we add the word *an* before the noun (**am** before words beginning with the letters *b,f,m,p.*) e.g.

an duine	— the man	**an doras**	— the door	**am bàta**	— the boat
an là	— the day	**an taigh**	— the house	**am peann**	— the pen

2

Vocabulary

sgoil	— school	leabhar	— book	àrd	— high, tall
nighean	— girl,	làr	— floor	ìosal	— low
	daughter	teine	— fire	làn	— full
gille	— youth,	doras	— door	falamh	— empty
	young man	bàta	— boat	teth	— hot
oidhche	— night	loch	— loch	ach	— but
là	— day	rùm	— room	glè	— very*
taigh	— house	rathad	— road		
eaglais	— church	glan	— clean		
duine	— man	salach	— dirty		

*Note that *glè* aspirates the next word if possible e.g. *glè mhòr* — very big.

By replacing the pronouns (mi, thu, etc.) by a noun, we can now use sentences involving nouns.

e.g. The book is small — **Tha an leabhar beag.**

Exercise 1. Read the following sentences and translate them into English:

1. Chan eil an sgoil glè bhlàth. 2. Tha an làr glan. 3. A bheil an eaglais làn?
4. Nach eil am bàta mòr? 5. Tha an là fuar. 6. Nach eil an taigh salach? 7. A bheil an gille sgìth? 8. Chan eil an oidhche fuar. 9. Nach eil an duine àrd?
10. A bheil an nighean trang?

Exercise 2. Translate into Gaelic:

1. The man is very tall. 2. The floor isn't dirty. 3. Is the door low? 4. The boat is small. 5. Is the book wet? 6. The school isn't big. 7. Isn't the loch cold? 8. The road is dry. 9. The church is full. 10. Isn't the day warm? 11. The night is cold. 12. Is the young man busy? 13. The girl isn't lazy. 14. The fire is hot. 15. Is the pen empty?

AN CEATHRAMH LEASAN

1. YES and NO

Gaelic has no word for YES or NO. A question is answered by using the affirmative or negative of the verb in question.

e.g. A bheil thu trang? **Tha.** — Are you busy? Yes.
      A bheil iad fuar? **Chan eil.** — Are they cold? No.

2. Past Tense of the verb "to be"

The past tense, like the present, has four forms.

	Affirm.	Interr.	Neg.	Neg. Interr.
Present	tha	a bheil	chan eil	nach eil
Past	bha	an robh	cha robh	nach robh

3. The words *glè* (very) and *ro* (too).

These words aspirate the word immediately following them if it can be aspirated. Words beginning with **l, n, r, sg, sm, sp, st,** or **a vowel** do not show aspiration in their spelling, though words beginning with **le, li, n,** and **r** are affected as to pronunciation.

e.g.	**glè mhòr** — very big;	**ro fhuar** — too cold;
BUT	**glè sgìth** — very tired;	**ro àrd** — too high;

Exercise 1. Read and translate:

1. Bha an taigh glè àrd. 2. An robh an eaglais blàth? 3. Cha robh an nighean trang. 4. Nach robh an gille mòr? 5. Nach robh an rùm ro bheag? 6. Cha robh an taigh glè mhòr ach bha e glè fhuar. 7. An robh an eaglais làn? 8. Cha robh. Bha an eaglais falamh.

Exercise 2. Translate into Gaelic:

1. The young man wasn't busy. 2. Wasn't the man tired? 3. The girl was very lazy. 4. Was the school cold? 5. Wasn't the house too big? 6. Yes, but the room was very warm. 7. The day wasn't warm but the night was very cold. 8. The church was very full.

AN COIGEAMH LEASAN

Prepositions

In Gaelic prepositions are placed before the noun with or without an article. Some simple prepositions are:

	aig — at	**air** — on	**do** — to

Thus in Gaelic

at a door is **aig doras**:   *at the door* is **aig an doras**
on a loch is **air loch**:   *on the loch* is **air an loch**

The preposition **do**, however, aspirates the word immediately following it. e.g. *to a house* — **do thaigh.**

The definite article **an** abbreviates to **n** after prepositions ending with a vowel or vowel sound. The **n** is attached to the pronoun e.g. don e.g. *to the house* — **don taigh.**

One of the most common prepositions is **in**. In Gaelic this one is unique and it changes its form when used with a definite noun. The forms are:

ann an/am before an indefinite noun. e.g. **ann an taigh** — in a house
                                             ann am bàta — in a boat
anns before a definite noun e.g.   **anns an taigh** — in the house

Common Christian Names

Calum	— Malcolm	Uilleam	— William	Mairead	— Margaret
Dòmhnall	— Donald	Uisdean	— Hugh	Màiri	— Mary
Iain	— John	Teàrlach	— Charles	Mòrag	— Morag
Raibeart	— Robert	Anna	— Ann	Seònaid	— Janet
Ruairidh	— Roderick	Catrìona	— Catherine	Sìne	— Jean
Seumas	— James	Ealasaid	— Elizabeth		

Exercise 1. Read and translate:

1. Tha Màiri aig an taigh ach tha Seumas anns an sgoil. 2. An robh Iain anns an eaglais? 3. Chan eil Seònaid agus Calum anns an taigh. 4. Nach eil an leabhar anns an rùm? 5. Cha robh Teàrlach aig an doras.

Exercise 2. Translate into Gaelic

1. The book isn't on the floor in the room. 2. Margaret was in school but Ann was at home. 3. The day is wet but Donald was on the loch in a boat. 4. Isn't John in the house? 5. We were warm near (faisg air) the fire but the night was cold. 6. James is busy on the road but Malcolm is in church.

AN SIATHAMH LEASAN

Vocabulary

cèilidh	— ceilidh, visit	taigh-òsda	— hotel	co-dhiùbh	— however
		bàta	— boat	idir	— at all
feasgar	— evening	mòd	— mod	a-nochd	— tonight

cladach	— shore	an-dè	— yesterday	an-raoir	— last night
bòrd	— table	an-diugh	— today	ag obair	— working
bùth	— shop	a-màireach	— tomorrow	seòmar	— room

Exercise 1. Translate into Gaelic

John is in church today but James is at home and Donald is in school. They were tired yesterday and they weren't at school. They were on the loch, however. Mary is in the house and she is very busy. She is at the fire. The book is on the floor near the fire. The girl was at the door but the tall man was busy working on the road. It was warm and they weren't cold at all. Wasn't Mary very warm working near the fire?

N.B. Adjectives in Gaelic normally come after the noun.

e.g. **duine àrd** — a tall man : **an taigh mòr** — the big house.

Prepositions (contd)

When we use prepositions with definite nouns, most nouns are aspirated and the article becomes **a'** after a preposition ending with a consonant, **n** after a preposition ending with a vowel or vowel sound. **N.B.** The article remains **an** before an aspirated **f**.

The rules are as follows:

1. Words beginning with **d, t, l, n, r, sg, sm, sp, st** or **a vowel** do not alter in any way.

    e.g. **air an rathad**   — on the road   **don taigh**   — to the house
         anns an eaglais — in church;   **aig an doras** — at the door

2. Words beginning with **b, f, m, p, c** and **g** aspirate when definite.

    e.g. **aig cèilidh**   — at a ceilidh **BUT aig a' chèilidh** — at the ceilidh
         ann am bàta — in a boat   **BUT anns a' bhàta** — in the boat

3. Words beginning with **sl, sn, sr** and **s + a vowel** show the aspiration differently by prefixing **t –** .

    e.g. **ann an seòmar** — in a room   **BUT**   **anns an t-seòmar** — in the room

Exercise 2. Read and Translate

aig a' bhùth; anns an rùm; don chèilidh; ann am bàta; air a' chladach; aig taigh-òsda; aig a' Mhòd; air bòrd; don sgoil; air an rathad; aig an doras; do Ghlaschu.

6

Exercise 3. Translate into Gaelic:

a. at a ceilidh   in a boat   on a shore   to a hotel
   on an evening   to a ceilidh   in a house   at a table
b. at the ceilidh   in the church   to the house   on the floor
   in the evening   to the shop   on the road   at the Mod
   to the shore   on the loch   at the school   in the room
   on the table   at the hotel   in the boat   to the man

AN SEACHDAMH LEASAN

Place Names

Dun Eideann	— Edinburgh	Sruighle	— Stirling
Glaschu	— Glasgow	Inbhir Nis	— Inverness
Obaireadhain	— Aberdeen	Steòrnabhagh	— Stornoway
Dun Deagh	— Dundee	Portrìgh	— Portree
Peairt	— Perth		

Prepositions (contd)

The remaining simple prepositions are:

à — from, out of; **bho/o** — from; **de** — of; **gun** — without; **fo** — under, below; **gu** — to, towards; **le** — with, by; **ri** — to, at, against; **mu** — about, concerning; **mar** — like, as; **ro** — before; **seachad air** — past; **thairis air** — across; **tro** — through

There are two points to note:

a. The prepositions **à, gu, le** and **ri** are like **ann an/anns,** in that they have a separate form for the definite noun.

e.g. **à baile**	— from a village	**BUT às a' bhaile**	— from the village
gu baile	— to a village	**BUT gus an là**	— to/till the day*
le peann	— with a pen	**BUT leis a' pheann**	— with the pen
ri duine	— to a man	**BUT ris an duine**	— to the man

*****Gus** is followed by the basic form of the noun which in some cases is aspirated, in others not. (See lesson on Genders of Nouns).

b. The prepositions **bho/o, de, gun, fo, mar, mu, ro** and **tro** are like **do,** in that they aspirate an indefinite noun coming immediately after them.

e.g. **de dhuine** — of a man; **fo bhòrd** — under a table; **tro bhaile** — through a town/village.

Exercise 1.   Read and translate:

bho bhòrd	mun chèilidh	ron sgoil	gu Dun Eideann
fon bhàta	às an t-seòmar	ri duine	leis an nighinn
mar bhòrd	de bhalach		

Exercise 2.   Translate into Gaelic:

to the shop	from the window	through the town	under the house
with the boy	about a shop	past the room	of the man
	out of the village	before the evening	

1. The book is on the floor under the table. 2. The man is in the shop near the church. 3. Was the young man with the girl at the window? 4. She was in the hotel before the ceilidh. 5. They are in the room under the hall (talla). 6. Were you in church in Inverness?

AN T-OCHDAMH LEASAN

The Future Tense of the verb "to be"

The four forms are:

Affirm.	Interr.	Neg.	Neg. Interr.
Bithidh	**am bi**	**cha bhi**	**nach bi.**

(Note that the negative particle **CHA** aspirates the letters **b, f, m, p, c, g, sl, sn, sr** and **s** + a vowel. Before **f**, however, **CHAN** is used).

Exercise 1.   Change Exercise 1, Lesson 6, completely into the future tense.

Verbal Nouns

Some common verbal nouns are:

a' seinn	— singing	a' cluich	— playing	ag iasgach	— fishing
a' bruidhinn	— speaking	a' cur	— putting	ag itheadh	— eating
a' leughadh	— reading	a' tòiseachadh	— starting	ag òl	— drinking
a' sgrìobhadh	— writing	a' ceannachd	— buying	a' fàgail	— leaving

8

a' coiseachd	— walking a' tilleadh	— returning a' fuireach	— staying
a' ruith	— running ag obair	— working a' suidhe	—sitting
a' leum	—jumping ag ionnsachadh	— learning a' seasamh	—standing

These are used, as in English, along with the verb "to be".

e.g. **Tha e a' seinn** — he is singing; **An robh iad a' ruith?** — Were they running? **Bithidh sinn a' cluich** — We'll be playing.

From a pronunciation point of view, note that when the **a'** or **ag** of the verbal noun is preceded by a vowel sound, the **a** is not normally pronounced.

Thus, although we **write**:

> Am bi e a' seinn?   A bheil thu ag èisdeachd?

We **say**:

> Am bi e seinn?   A bheil thu 'g èisdeachd?

Exercise 1.   Read and translate:

1. Bithidh Calum a' seinn aig cèilidh a-nochd. 2. Bha am balach a' cluich air an rathad. 3. An robh Iain a' fuireach ann an Inbhir Nis? 4. Nach bi thu ag obair anns a' bhuth a-màireach? 5. Tha Anna a' leughadh anns an t-seòmar. 6. Tha Raibeart ag iasgach air an loch an-diugh. 7. Cha bhi sinn a' tòiseachadh ro ochd uairean. 8. Am bi sibh a' coiseachd don talla a-nochd? 9. Chan eil iad a' tilleadh dhachaigh gus a-màireach. 10. Nach robh thu ag itheadh anns an taigh-òsda an-raoir?

Exercise 2.   Translate into Gaelic:

1. I was speaking to (ri) James in church. 2. Will you be writing tonight? 3. The girl is running on the shore. 4. Was he working in the house yesterday? 5. They were drinking in the hotel last night. 6. We shall be eating at home today. 7. The little boy was running on the road near the shop. 8. I'll be buying a new boat tomorrow.

AN NAOITHEAMH LEASAN

Revision

This morning (in the morning today) James and Mary were in school. They were busy reading and writing but Donald and John were playing at home.

9

They were running and jumping on the road near the church. They were in town yesterday but they will be in school tomorrow. Robert will be at home tonight but he will be busy. He will be working in the house and he will be at the shop tomorrow morning. The shop is in town near the hotel.

Vocabulary

toilichte	— pleased	seo	— this
an-dràsda	— just now	an seo	— here
madainn	— morning	sin	— that
no	— or	an sin	— there
àm	— time	siud	— that (yon)
litir	— letter	an siud	— there (yonder)

Note: **Seo, sin** and **siud** are tagged on after the noun.
e.g. **an taigh seo** — this house
an leabhar sin — that book.

The Subjunctive (Conditional) Tense

All four forms of this tense have each two parts, one for the 1st Person Singular, the other for the remainder.

The forms are:

	Affirm.		Interr.
Bhithinn	— I would be		**am bithinn?**
bhitheadh tu	— you would be		**am bitheadh tu?**
	Neg.		Neg. Interr.
cha bhithinn			nach bithinn
cha bhitheadh tu			nach bitheadh tu

Note: *Bhitheadh/bitheadh* may be met in the forms *bhiodh/biodh* in unaccented positions.

Exercise 1. Read and translate:

1. Bhithinn toilichte a bhith an sin a-màireach. 2. Cha bhitheadh an duine ag obair anns a' bhaile. 3. Am bitheadh Seumas ag iasgach air an loch an-dràsda? 4. Bhitheadh iad a' sgrìobhadh litir anns a' mhadainn. 5. Am bitheadh Sìne anns an taigh a-nochd? 6. Cha bhithinn a' fuireach ann an Glaschu aig an àm sin. 7. Bhitheadh Anna agus Màiri a' seinn am feasgar seo. 8. Nach bitheadh iad sgìth?

Exercise 2. Translate into Gaelic:

1. I would be very pleased. 2. Would he be singing at the ceilidh? 3. She wouldn't be at the shop just now. 4. They would be very warm in that room. 5. Wouldn't she be working there? 6. Would they be returning today or tomorrow?

AN DEICHEAMH LEASAN

Interrogative Words

Cò — who; **dè** — what; **ciamar** — how; **carson** — why; **cuin(e)** — when; **càit** — where.

The first five are followed by the affirmative form of the verb except in the future tense, where a special form (the relative) is used. The remaining interrogative word, **càit**, takes the interrogative form.
Thus we have:

	Present	Past	Future	Subjunctive
Cò Dè Ciamar Carson Cuin	(a)* tha	(a)* bha	(a)* bhitheas	(a)* bhithinn bhitheadh tu
Càit	a bheil	an robh	am bi	am bithinn bitheadh tu

*—The **a** is inserted after the interrogative words ending in a consonant.

N.B. **Nuair**, the conjunction **when** behaves like **cuin** and
Far, the conjunction **where** behaves like **càit**.

e.g **Nuair a bhitheas mi sgìth**
Far an robh mi an-raoir

Note: Why . . . not — **Carson nach eil/nach robh** etc.

Exercise 1.   Read and translate:

1. Cuin a bhitheas e a' tilleadh dhachaigh? 2. Càit an robh thu ag obair an-dè? 3. Ciamar a tha Ruairidh an-diugh? 4. Dè bha thu a' leughadh an raoir? 5. Carson a bhitheadh e an sin an-dràsda? 6. Cò bhitheas ag obair anns a' bhùth a-nochd? 7. Tha an seòmar far a bheil e a' sgrìobhadh glè bhlàth. 8. Nuair a bha mi anns an eaglais, bha Sìne aig an taigh.

Exercise 2.   Translate into Gaelic:

1. Who will be singing at the ceilidh tonight? 2. What are you reading just now? 3. How was she last night? 4 .Where will you be staying in Stornoway? 5. The house where she was staying is empty now. 6. When they were here, I was working in Edinburgh. 7. When will she be leaving Perth? 8. Why wasn't Calum at school, yesterday?

AN T-AONA LEASAN DEUG

The verb "to have"

There is no verb "to have" in Gaelic. Instead, we use the verb "to be" plus the preposition **aig**. Thus, "The man has a coat" becomes "A coat is at the man" — **Tha còta aig an duine.** We cannot, however, say *aig mi, aig thu,* etc. Instead, we use a composite word known as a prepositional pronoun. The forms with *aig* are:

agam	for aig mi	**againn**	for aig sinn
agad	for aig thu	**agaibh**	for aig sibh
aige	for aig e	**aca**	for aig iad
aice	for aig i		

Thus, "He has a coat" becomes "A coat is at him." — **Tha còta aige.**

N.B. The above prepositional pronouns can also be used to express the possessive adjective.

e.g. **an cù aige** — his dog.

Exercise 1. Read and translate:

1. Bhitheadh leabhar ùr aig a' bhalach. 2. Am bi taigh mòr aig Iain agus Anna? 3. Tha Gàidhlig gu leòr aca. 4. An robh bàta aige? 5. Bha oidhche glè mhath againn an-raoir. 6. A bheil taigh-òsda agaibh anns a' bhaile seo?. 7. Cha robh uinneag aice anns an t-seòmar. 8. Nach eil còta aig an duine sin?

Exercise 2. Translate into Gaelic:

1. I had a small boat. 2. She will have my book. 3. He would have a new house. 4. They have a shop in town. 5. Have you a big room in the hotel? 6. They won't have a fire in school. 7. Didn't he have a coat when he was here? 8. Will she have that book in the shop?

Revision Exercise

Còmhradh (Conversation)
Cailean: Where is James?
Anna: He is working in town today.
Cailean: Were you in town?
Anna: Yes. I was there in the morning.
Cailean: When did you see (chunnaic thu) James?
Anna: I saw him when I was in Mary's shop.

Cailean: What was he doing (a'dèanamh) there?
Anna: He was speaking to Mary when I saw him.
Cailean: Does Mary have Gaelic?
Anna: Yes. She has plenty of Gaelic but they were speaking in English (Beurla).
Cailean: Well, I must go. (Uill, feumaidh mi falbh) Goodnight.
Anna: Goodnight then (matà).

AN DARA LEASAN DEUG

Vocabulary

Nouns

airgead	— money, silver	cailleach	— old woman	grian	— sun
		càise	— cheese	gual	— coal
aran	— bread	caora	— sheep	ìm	— butter
abhainn	— river	cas	— foot, leg	làmh	— hand
bainne	— milk	cat	— cat	monadh	— moor, hill
balla	— wall	ceann	— head	muir	— sea
Beurla	— English	cnoc	— hill(ock)	pàipear	— paper
bocsa	— box	còta	— coat	peann	— pen
bodach	— old man	crodh	— cattle	ùine	— time
botal	— bottle	cù	— dog	uisge	— water, rain
caileag	— (little) girl				

Adjectives

bàn	— fair	buidhe	— yellow	bòidheach	— beautiful
geal	— white	òir	— gold(en)	brèagha	— lovely
dubh	— black	mall	— slow	fada	— long
dearg	— red	luath	— fast	goirid	— short
gorm	— blue	ceart	— right	ciùin	— calm
uaine	— green	ceàrr	— wrong	stoirmeil	— stormy
donn	— brown				

AN TREAS LEASAN DEUG

Possessive Adjectives

As we have seen, possession can be expressed by using the prepositional pronouns *agam, agad* etc., but there are also possessive adjectives. These are:

mo	— my	(aspirates next word)	**ar**	— our
do	— your	(aspirates next word)	**ur**	— your
a	— his	(aspirates next word)	**an/am**	— their
a	— her	(does not aspirate next word)		

e.g.

mo chù	— my dog	**ar cù**	— our dog
do chù	— your dog	**ur cù**	— your dog
a chù	— his dog	**an cù**	— their dog
a cù	— her dog	**am bàta**	— their boat

In the plural, however, these forms are rarely used. Instead we find the expanded forms:

> **ar cù-ne, an cù-san** or **an cù acasan** etc.

Where a possessive adjective is followed by a vowel, we use the forms:

m'athair	— my father	**ar n-athair**	— our father
d'athair	— your father	**ur n-athair**	— your father
'athair	— his father	**an** athair	— their father
a h-athair	— her father		

Exercise   Translate into Gaelic:

my cat	his coat	our money	their cheese	your sheep
her church	his father	their boat	your cattle	her paper

Dependent Form of the Verb

If a verb becomes dependent on something before, we use the forms **gu** or **gum** + the interrogative form for an affirmative statement, the **nach** form for a negative statement.

e.g.   **Tha e ag ràdh** (he says) **gu bheil e sgìth** (that he is tired)
                                   nach eil e sgìth (that he's not tired)

Thus, the forms of the verb change as follows:

		Independent	Dependent
Present:	Affirm.	**tha**	**gu bheil**
	Neg.	**chan eil**	**nach eil**

14

Past:	Affirm:	bha	gu(n) robh
	Neg.	cha robh	nach robh
Future:	Affirm.	bithidh	gum bi
	Neg.	cha bhi	nach bi
Subjunct.	Affirm.	bhithinn	gum bithinn
		bhitheadh tu	gum bitheadh tu
	Neg.	cha bhithinn	nach bithinn
		cha bhitheadh tu	nach bitheadh tu

Exercise. Start each of the following sentences with "Tha e ag ràdh" — he says.

e.g.   **Bithidh Calum aig an taigh a-nochd.**
    Tha e ag ràdh **gum bi Calum aig an taigh a-nochd.**

1. Tha iad ag obair aig a' phort. 2. Cha robh sinn a' coiseachd glè luath. 3. Bhitheadh tu a' bruidhinn ri Seumas. 4. Cha bhi e a' fuireach ùine fhada ann an Dun Deagh. 5. Chan eil i ag obair anns an taigh-òsda. 6. Bhithinn ag iasgach air an loch a-nochd. 7. Chan eil am balach a' cluich air an rathad.   8. Bithidh mi a' sgrìobhadh litir a-màireach.

AN CEATHRAMH LEASAN DEUG

Imperatives

To give an order in Gaelic, we use the root of the verb when talking to a person we would address as "**thu**".

To form the polite or plural imperative, we add **(a)ibh** to the root.

e.g. Verbal Noun	Root (and informal order)	Polite/Plural form
a' bualadh	buail	buailibh
a' togail	tog	togaibh
ag òl	òl	òlaibh
a' fàgail	fàg	fàgaibh

To make either form negative, we simply put **na** before the order.

e.g	Drink your milk	**Ol do bhainne.**
	Don't drink your milk	**Na òl do bhainne.**
	Leave the house at 6.	**Fàg an taigh aig 6 uairean.**
	Don't leave the house at 6.	**Na fàg an taigh aig 6 uairean.**

15

The roots of the verbal nouns met so far are:

a' seinn	— **seinn**	a' tilleadh	— **till**
a' bruidhinn	— **bruidhinn**	ag obair	— **obraich**
a' leughadh	— **leugh**	ag ionnsachadh	— **ionnsaich**
a' sgrìobhadh	— **sgrìobh**	ag iasgach	— **iasgaich**
a' coiseachd	— **coisich**	ag itheadh	— **ith**
a' ruith	— **ruith**	ag òl	— **òl**
a' leum	— **leum**	a' fàgail	— **fàg**
a' cluich	— **cluich**	a' fuireach	— **fuirich**
a' cur	— **cuir**	a' suidhe	— **suidh**
a' tòiseachadh	— **tòisich**	a' seasamh	— **seas**
a' ceannachd	— **ceannaich**		

Additional roots are:

a' bualadh (hitting)	— **buail**	a' saoilsinn (thinking)	— **saoil**
ag iarraidh (asking, wanting)	— **iarr**	a' smaoin(t)eachadh (thinking)	— **smaoin(t)ich**
a' togail (lifting, building)	— **tog**	a' creidsinn (believing)	— **creid**
a' fàs (growing)	— **fàs**	a' gluasad (moving)	— **gluais**
a' fosgladh (opening)	— **fosgail**	a' tilgeil (throwing)	— **tilg**
a' dùnadh (shutting)	— **dùin**	a' fantainn (waiting)	— **fan**
a' cumail (holding)	— **cùm**		

Note that 10 verbs have irregularities:

a' breith (bearing)	— **beir**	a' faighinn (finding, getting)	— **faigh**
a' cluinntinn (hearing)	— **cluinn**	ag ràdh (saying)	— **abair**
a' dèanamh (making, doing)	— **dèan**	a' ruigsinn (reaching)	— **ruig**
a' dol (going)	— **rach**	a' tighinn (coming)	— **thig**
a' faicinn (seeing)	— **faic**	a' toirt (giving)	— **thoir**

Exercise 1. Translate into Gaelic, giving both the informal and plural orders:

1. Shut the door.
2. Open the window.
3. Give me (dhomh) the book.
4. Lift that stone.
5. Run to the shop.
6. Say that again.
7. Come in and sit down.
8. Wait there.
9. Put the pen on the table.
10. Walk slowly.
11. Don't run.
12. Speak slowly and clearly.
13. Don't throw the book on the floor.
14. Hold your tongue.
15. Don't believe him.
16. Leave the room now.

AN COIGEAMH LEASAN DEUG

1. Days of the Week

Diluain	— Monday	Dihaoine	— Friday
Dimàirt	— Tuesday	Disathuirn	— Saturday
Diciadain	— Wednesday	Di-Dòmhnaich	— Sunday
Diardaoin	— Thursday	Là na Sàbaid	

2. Numerals 1-30

The numerals used without a noun are:

1	— a h-aon	11	— a h-aon deug	21	— a h-aon air fhichead
2	— a dhà	12	— a dhà dheug	22	— a dhà air fhichead
3	— a trì	13	— a trì deug	23	— a trì air fhichead
4	— a ceithir	14	— a ceithir deug	24	— a ceithir air fhichead
5	— a còig	15	— a còig deug	25	— a còig air fhichead
6	— a sia	16	— a sia deug	26	— a sia air fhichead
7	— a seachd	17	— a seachd deug	27	— a seachd air fhichead
8	— a h-ochd	18	— a h-ochd deug	28	— a h-ochd air fhichead
9	— a naoi	19	— a naoi deug	29	— a naoi air fhichead
10	— a deich	20	— a fichead	30	— a deich air fhichead

When the numbers are used in conjunction with a noun, a number of changes take place. Thus, using the noun "mionaid" (a minute), we get:

aon mhionaid (deug)	aon mhionaid fichead
dà mhionaid (dheug)	dà mhionaid fichead
trì mionaidean (deug)	trì mionaidean fichead
ceithir mionaidean (deug)	ceithir mionaidean fichead
còig mionaidean (deug)	còig mionaidean fichead

17

sia mionaidean (deug)	sia mionaidean fichead
seachd mionaidean (deug)	seachd mionaidean fichead
ochd mionaidean (deug)	ochd mionaidean fichead
naoi mionaidean (deug)	naoi mionaidean fichead
deich mionaidean (fichead mionaid)	deich mionaidean fichead

From the above you will see that:

aon aspirates the following word e.g. **aon bhàta** — one boat
dà aspirates the following word and takes a singular form which is the same as the dative case (See Lessons 21 and 22).
e.g. **dà chat** — two cats

Fichead takes the singular form e.g. **fichead cù** — twenty dogs

Compound numbers take the noun between the two parts:
e.g. **dà chat dheug** — twelve cats

Note too that when a noun is used with the compound numbers from 21 to 30, the noun replaces the word "**air**" and "**fhichead**" loses its aspiration.

e.g. **còig mionaidean fichead**

3. Telling the Time

Dè an uair a tha e? — What time is it?

Hours   **dà uair dheug**

aon uair deug . . .	11	12	1	. . .	**aon uair**
deich uairean . . .	10			2 . . .	**dà uair**
naoi uairean . .	9			3 . .	**trì uairean**
ochd uairean . . .	8			4 . . .	**ceithir uairean**
seachd uairean . . .		7 6		5 . . .	**còig uairean**

sia uairean

Minutes

còig mionaidean gu .	11 12	1 .	**còig mionaidean an dèidh**
deich mionaidean gu	10	2	**deich mionaidean an dèidh**
cairteal gu	9	3	**cairteal an dèidh**
fichead mionaid gu .	8	4	**fichead mionaid an dèidh**
còig mionaidean .	7 6	5 .	**còig mionaidean fichead**
fichead gu			**an dèidh**

leth-uair an dèidh

e.g. 5.00 — còig uairean
      7.10 — deich mionaidean an dèidh a seachd
      10.15 — cairteal an dèidh a deich
      11.30 — leth-uair an dèidh aon uair deug
      12.00 — dà uair dheug, meadhon là, meadhon oidhche
      12.40 — fichead mionaid gu **uair**

Exercise 1. Dè 'n uair a tha e?

3.05; 1.25; 11.30; 1.40; 7.50.

AN SIATHAMH LEASAN DEUG

The Past Tense of Regular Verbs

To form the past tense of regular verbs, we follow a simple pattern:

1. Take the root of the verb.

2. Aspirate the first letter if possible.

Thus, the verbs we have met so far will form their past tense as follows:

	Root	Past Tense
a' seinn	seinn	sheinn mi
a' bruidhinn	bruidhinn	bhruidhinn mi
a' leughadh	leugh	leugh mi (asp. l not shown in spelling)
a' sgrìobhadh	sgrìobh	sgrìobh mi
a' coiseachd	coisich	choisich mi
a' ruith	ruith	ruith mi (asp. r not shown in spelling)
a' leum	leum	leum mi (asp. l not shown in spelling)
a' cluich	cluich	chluich mi
a' cur	cuir	chuir mi
a' tòiseachadh	tòisich	thòisich mi
a' ceannachd	ceannaich	cheannaich mi
a' tilleadh	till	thill mi

19

Verbs beginning with a vowel or **f** + a vowel have to be aspirated differently, as follows:

ag obair	obraich	dh'obraich mi
ag ionnsachadh	ionnsaich	dh'ionnsaich mi
ag itheadh	ith	dh'ith mi
ag òl	òl	dh'òl mi
a' fàgail	fàg	dh'fhàg mi
a' fuireach	fuirich	dh'fhuirich mi

To form the Interrogative, Negative and Negative Interrogative, we add to these **an do, cha do** and **nach do**.

e.g. **a' freagairt** — answering

Affirm.	**fhreagair mi**	— I answered
Interr.	**an do fhreagair mi?**	— Did I answer?
Neg.	**cha do fhreagair mi**	— I didn't answer
Neg. Int.	**nach do fhreagair mi?**	— Didn't I answer?

Vocabulary

dhachaigh	— home, homewards	ùr	— new
litir	— letter	gu math	— well

Exercise 1. Read and translate:

1. Chuir e an leabhar air a' bhòrd. 2. Cheannaich mi bainne anns a' bhùth. 3. Cha do sgrìobh sinn air a' bhalla. 4. Dh'fhàg mi mo pheann anns an sgoil. 5. An do choisich thu dhachaigh an-raoir? 6. Nach do cheannaich e an taigh sin? 7. Càit an do dh'fhàg thu am bocsa? 8. Cuin a leugh thu an leabhar seo? 9. Nuair a thill mi dhachaigh, sgrìobh mi litir. 10. Cha do dh'fhuirich e an sin ach ùine ghoirid.

Exercise 2. Translate into Gaelic

1. He didn't stay in Edinburgh at all. 2. Did they work in town when you were there? 3. She left the house at 7.30 but they didn't start before 8.15. 4. He bought a new house in Aberdeen. 5. Did you read that book? 6. They didn't walk home; they stayed in the hotel. 7. I put the newspaper on the table when I left the house. 8. Did she sing well at the ceilidh last night? 9. Where did they stay when they were in Portree? 10. When did you come back home last night?

Further verbal nouns to memorise (See Lesson 14 for verb roots)

a' bualadh	— hitting, striking
ag iarraidh	— seeking, wanting
a' togail	— lifting, building

a' fàs	— growing, becoming
a' fosgladh	— opening
a' dùnadh	— closing, shutting
a' saoilsinn	— thinking
a' smaoin(t)eachadh	— thinking
a' creidsinn	— believing
a' gluasad	— moving
a' tilgeil	— throwing
a' fantainn	— waiting, remaining

AN SEACHDAMH LEASAN DEUG

Irregular Verbs

There are in Gaelic only 10 verbs which are completely irregular. These are:

a' breith	— bearing, (catching)	a' faighinn	— finding, getting
a' cluinntinn	— hearing	ag ràdh	— saying
a' dèanamh	— making, doing	a' ruigsinn	— reaching
a' dol	— going	a' tighinn	— coming
a' faicinn	— seeing	a' toirt	— giving, taking

These form their past tense as follows:

	Affirm.	Interr.	Neg.
a' breith	rug mi	an d'rug thu	cha d'rug mi
	Neg. Int/Dep		Aff. Dep.
	nach d'rug thu		gun d'rug mi
a' cluinntinn	chuala mi	an cuala tu?	cha chuala mi
	nach cuala tu		gun cuala mi
a' dèanamh	rinn mi	an d'rinn thu?	cha d'rinn mi
	nach d'rinn thu		gun d'rinn mi
a' dol	chaidh mi	an deach thu?	cha deach mi
	nach deach thu		gun deach mi
a' faicinn	chunnaic mi	am faca tu?	chan fhaca mi
	nach fhaca tu		gum faca mi
a' faighinn	fhuair mi	an d'fhuair thu?	cha d'fhuair mi
	nach d'fhuair thu		gun d'fhuair mi

ag ràdh	thuirt mi	an tuirt thu?	cha tuirt mi
	nach tuirt thu		gun tuirt mi
a' ruigsinn	ràinig mi	an d'ràinig thu?	cha d'ràinig mi
	nach d'ràinig thu		gun d'ràinig mi
a' tighinn	thàinig mi	an tàinig thu?	cha tàinig mi
	nach tàinig thu		gun tàinig mi
a' toirt	thug mi	an tug thu?	cha tug mi
	nach tug thu		gun tug mi

Vocabulary

naidheachd — news
fear — one (masc.)

eile — other, another
tè — one (fem.)

Exercise 1. Read and translate

Fhuair mi; an tug iad? cha chuala sinn; nach d'ràinig sibh? am faca tu? thàinig mi; cha tug e; nach cuala tu? cha deach thu; chunnaic sinn; an d'fhuair i? nach fhaca mi? chaidh sinn; cha d'rug i; rinn iad; chan fhaca mi; thuirt e; cha d'rinn e.

Exercise 2. Translate into Gaelic:

He came; did she go?; they didn't see; we found; he didn't reach; we heard; they didn't make; I gave; she didn't say; I went; did you find?; he didn't hear; didn't they come?; she saw; didn't she give?; we made; I said; he reached.

Exercise 3. Translate into Gaelic:

1. When we reached the village he gave the book to me (dhomh).
2. She said that they didn't hear the news this morning.
3. Why didn't you go to the ceilidh when I saw you last night?
4. What did he do when they came home without his book?
5. He got another one when the boy caught him up.

AN T-OCHDAMH LEASAN DEUG

Prepositional Pronouns

As with the preposition **aig**, the other prepositions have prepositional pronouns. The ones met most commonly are those from the prepositions **air, do, le** and **ri**. The forms of these are:

Air

orm	— on me	oirnn	— on us
ort	— on you	oirbh	— on you
air	— on him	orra	— on them
oirre	— on her		

Do

dhomh	— to me	dhuinn	— to us
dhut	— to you	dhuibh	— to you
dha	— to him	dhaibh	— to them
dhi	— to her		

Le

leam	— with/by me	leinn	— with/by us
leat	— with/by you	leibh	— with/by you
leis	— with/by him	leotha	— with/by them
leatha	— with/by her		

Ri

rium	— to me	rinn	— to us
riut	— to you	ribh	— to you
ris	— to him	riutha	— to them
rithe	— to her		

Vocabulary

tha eagal orm	— I am afraid	màthair	— mother
tha iongantas orm	— I am surprised	athair	— father
tha cnatan orm	— I have a cold	bràthair	— brother
tha an t-acras orm	— I am hungry	piuthar	— sister
tha am pathadh orm	— I am thirsty	sam bith	— any
tha an dèideadh orm	— I have toothache	oir	— because
tha mi eòlach air	— I know him	cho	— so

is fheàrr leam	— I prefer
is toigh leam	— I like
leig leis	— Let him go

is àbhaist dhomh	— I am accustomed to
is eudar dhomh	— I must
is còir dhomh	— I am right to
bu chòir dhomh	— I ought to
is urrainn dhomh	— I can, am able
is aithne dhomh	— I know

Exercise 1. Read and translate:

1. Thuirt e rium gu robh cnatan orra. 2. Bha iongantas air nach tàinig thu leam. 3. Bu chòir dhuinn uile dol ann. 4. Cha b'urrainn dhaibh tighinn oir bha an dèideadh orra. 5. Chan aithne dhomh cò bha an sin an-raoir. 6. Dè na h-òrain Ghàidhlig as fheàrr leat? 7. A bheil thu eòlach air? 8. Tha eagal mòr oirnn nach d'fhuair iad airgead sam bith.

Exercise 2. Translate into Gaelic:

1. She had a cold when she was in the shop yesterday. 2. I prefer the house with the green door. 3. They ought to stay at home because they have toothache. 4. We were hungry and thirsty when we reached the town. 5. We were so tired that we couldn't speak to anyone. 6. They were very suprised that you knew their brother. 7. When night came, my mother was afraid. 8. He must come before 8 o'clock.

AN NAOITHEAMH LEASAN DEUG

The Prepositions AIG and ANN with possessive adjectives.

When used with possessive adjectives, the prepositions **aig** and **ann** have special forms. These are:

AIG

gam	— at my	**gar**	— at our
gad	— at your	**gur**	— at your
ga	— at his	**gan/gam**	— at their
ga	— at her		

Thus: He is hitting me = he is at my hitting
  Tha e gam bhualadh
  I will be seeing her = I will be at her seeing
  Bithidh mi ga faicinn

ANN

nam	— in my	**nar**	— in our
nad	— in your	**nur**	— in your
na	— in his	**nan/nam**	— in their
na	— in her		

Note that these are used with verbs of standing, sitting, lying, running and sleeping to express continuous action.

e.g. **Tha e na sheasamh aig an doras**
   Tha i na suidhe
   Tha iad nan cadal

This method is also used in speaking of trades, professions, etc.

e.g. **Tha e na sheòladair**
   Tha mi nam mhaighstir-sgoile

Vocabulary

ri taobh	— beside	a' dìreadh	— climbing
air dheireadh	— behind	a' cumail	— keeping, holding
a' garadh	— warming	a' cuideachadh	— helping
mun (conj.)	— before	a' falbh	— leaving, going away

Exercise 1. Read and Translate

1. Tha e na shuidhe ri taobh an teine. 2. Bithidh thu gam fhàgail air dheireadh. 3. Seo na beanntan. Is toigh leam a bhith gan dìreadh. 4. Tha an duine sin na mhinistear. 5. Bha mi nam shaighdear nuair a bha mi nam dhuine òg. 6. Tha mi gan creidsinn. 7. Greas ort! Tha thu gar cumail air ais. 8. Bha e ga gharadh fhèin aig an teine mun do dh'fhalbh e.

Exercise 2. Translate into Gaelic:

1. When I was a little boy I was living in Inverness. 2. They are hitting us. 3. We are looking for them. 4. When will you be leaving us? 5. He is lying on the floor. 6. Who was helping you? 7. John was a carpenter (saor) before the war (cogadh) but now he is a teacher in Glasgow. 8. They were all sitting round the fire talking when I went out but they were sleeping when I returned.

Exercise 3. Translate into Gaelic:

1. Do you hear me? 2. They were holding him back. 3. We shall be seeing them tomorrow. 4. Your book? He was reading it when we went out. 5. We shall be sitting here, remembering you. 6. I don't understand her at all. 7. John? You'll find him at the harbour. 8. We shall be bringing them to the ceilidh. 9. Were you wanting me? 10. The door is open now, but we'll be shutting it at 10 o'clock.

B

AM FICHEADAMH LEASAN

Gender of Nouns

All nouns in Gaelic are either masculine or feminine. Until now this has not mattered, but now, using prepositions more often, we shall see that feminine nouns usually change their form after prepositions, as well as their basic form being different from the masculine nouns.

The following list shows the gender of all nouns met so far:

Masculine

gille, an gille — young man
là, an là — day
taigh, an taigh — house
duine, an duine — man
làr, an làr — floor
leabhar, an leabhar — book
teine, an teine — fire
doras, an doras — door
bàta, am bàta — boat
baile, am baile — village, town
feasgar, am feasgar — evening

cladach, an cladach — shore
bòrd, am bòrd — table
rathad, an rathad — road
seòmar, an seòmar — room
Mòd, am Mòd — Mod
taigh-òsda, an taigh-òsda — hotel
bata, am bata — stick, rod
balach, am balach — boy
talla, an talla — hall
port, am port — harbour, port
àm, an t-àm — time

còta, an còta — coat
aran, an t-aran — bread
bainne, am bainne — milk
balla, am balla — wall
bocsa, am bocsa — box

bodach, am bodach — old man
botal, am botal — bottle
càise, an càise — cheese
cat, an cat — cat
ceann, an ceann — head
cnoc, an cnoc — hill, hillock
crodh, an crodh — cattle
cù, an cù — dog
gual, an gual — coal
ìm, an t-ìm — butter
monadh, am monadh — moor, mountain
pàipear, am pàipear — paper
peann, am peann — pen
uisge, an t-uisge — water, rain
airgead, an t-airgead — silver
athair, an t-athair — father
eagal, an t-eagal — fear
iongantas, an t-iongantas — surprise
cnatan, an cnatan — cold
acras, an t-acras — hunger
pathadh, am pathadh — thirst
dèideadh, an dèideadh — toothache
bràthair, am bràthair — brother
seòladair, an seòladair — sailor
cogadh, an cogadh — war
saighdear, an saighdear — soldier
loch, an loch — loch (may also be feminine)

Feminine

nighean, an nighean — daughter	abhainn, an abhainn — river
oidhche, an oidhche — night	caileag, a' chaileag — girl
eaglais, an eaglais — church	cas, a' chas — foot, leg
cailleach, a' chailleach — old woman	naidheachd, an naidheachd — news
caora, a' chaora — sheep	grian, a' ghrian — sun
madainn, a' mhadainn — morning	làmh, an làmh — hand
cèilidh, a' chèilidh — ceilidh	muir, a' mhuir — sea
bùth, a' bhùth — shop	uair, an uair — hour, time
litir, an litir — letter	ùine, an ùine — (period of) time
Beurla, a' Bheurla — English	màthair, a' mhàthair — mother
Gàidhlig, a' Ghàidhlig — Gaelic	piuthar, a' phiuthar — sister
uinneag, an uinneag — window	

From this list you will see that masculine nouns with the article remain completely unchanged except for the addition of **t –** before a word beginning with a vowel.

Feminine words with the article, however, aspirate whenever possible i.e. when they begin with the letters **b, f, m, p, c** or **g**. Although we have not met any yet, words beginning with **sl, sn, sr** or **s + a vowel** aspirate by adding **t –**
e.g. **slat** — a rod; **an t-slat** — the rod.

AN T-AONA LEASAN FICHEAD

The Dative Case

The dative is the case used after all prepositions met so far.

Masculine Nouns

The dative of a masculine indefinite noun is exactly the same as the basic word. e.g. **balach**; aig **balach**

With definite nouns, they divide into 4 groups.

1. Nouns beginning with **d, t, l, n, r, sg, sm, sp** and **st**
   These do not change in any way in the dative.

e.g. **an doras** — aig **an doras**
   an taigh — anns **an taigh**

2. Nouns beginning with **b, f, m, p, c** or **g**
   These have the same form as the basic word except that they aspirate.

   e.g. am balach — aig **a' bhalach**
      am feasgar — anns **an fheasgar**
      an gille   — don **ghille**

3. Nouns beginning with **sl, sn, sr** or **s + a vowel**
   These are the same as nouns in Group 2 except that they aspirate by adding **t −**.

   e.g. an saoghal (world) — air **an t-saoghal**
      an seòmar   — anns **an t-seòmar**

4. Nouns beginning with a vowel.
   These simply drop the **t −**

   e.g. an t-athair   — leis **an athair**
      an t-achadh (field) — anns **an achadh**

Exercise. Form prepositional phrases using the following masculine nouns:

athair	bòrd	teine	sneachd (snow)	duine
falt (hair)	seòl (sail)	sgoilear	sliabh (slope)	speur (sky)
ròn (seal)	ministear	là	steàrnan (swallow)	pàipear
nead (nest)	smal (stain)	gleann	sruth (stream)	caraid (friend)

AN DARA LEASAN FICHEAD

The Dative Case (contd)

Feminine nouns are more complicated. As with masculine nouns, they aspirate in the dative with the article whenever possible, but there are additional snags in that they may take an additional **i** after the last broad vowel and they may also change a vowel.

At this stage the simplest method is to learn the dative form of the words met so far.

Noun	No change	Additional i	Change of Vowel
an nighean			an nighinn
an oidhche	an oidhche		
an eaglais	an eaglais		
a' mhadainn	a' mhadainn		
a' chèilidh	a' chèilidh		
a' bhùth	a' bhùth		
an litir	an litir		
a' chaileag			a' chaileig
a' chailleach			a' chaillich
a' Bheurla	a' Bheurla		
a' Ghàidhlig	a' Ghàidhlig		
a' chaora	a' chaora		
an uinneag			an uinneig
a' chas			a' chois
an abhainn	an abhainn		
a' ghrian			a' ghrèin
an làmh		an làimh	
a' mhuir	a' mhuir		
an uair	an uair		
an ùine	an ùine		
an naidheachd	an naidheachd		
a' mhàthair	a' mhàthair		
a' phiuthar	a' phiuthar		
an t-slat		an t-slait	

Indefinite nouns are exactly the same, less any aspiration.

Exercise 1. Translate into Gaelic:

1. I gave the book to the girl in the shop. 2. We got a letter from the old
lady in Gaelic. 3. My mother had a pen in her hand. 4. He was on the loch
in the morning and on the sea in the evening. 5. She went to the window
and saw the boy fishing in the river.

Exercise 2. Read and translate:

Anns a' mhadainn an-dè chunnaic sinn Màiri ag obair anns a' bhùth. Thuirt
i gu robh leabhar ùr aig a' chaillich. Thug i don chaileig e agus bha a' chaileag
na suidhe aig an uinneig ga leughadh. 'S ann anns a' Ghàidhlig a bha an leabhar
agus bha Gàidhlig gu leòr aig a' chaileig. An ceann ùine ghoirid, thug i an
leabhar do Mhàiri agus chaidh i sìos don abhainn far an robh a bràthair ag
iasgach leis an t-slait a fhuair e bho a mhàthair.

29

AN TREAS LEASAN FICHEAD

The Genitive Cases (Singular)

Masculine Nouns

To form the genitive case of a masculine noun, the usual procedure is to insert an **i** after the last broad vowel and, if the noun is definite, to aspirate the first letter whenever possible. There are complications as in the feminine dative.

Noun	No change	Additional i	Change of Vowel
an gille	a' ghille		
an là	an là		
an taigh		an taighe	
an duine	an duine		
an làr		an làir	
an leabhar		an leabhair	
an teine	an teine		
an doras		an dorais	
am bàta	a' bhàta		
am baile	a' bhaile		
am feasgar		an fheasgair	
an cladach		a' chladaich	
am bòrd			a' bhùird
an rathad		an rathaid	
an seòmar		an t-seòmair	
am Mòd		a' Mhòid	
an taigh-òsda	an taigh-òsda		
am bata	a' bhata		
am balach		a' bhalaich	
an talla	an talla		
am port			a' phuirt
an t-àm	an àm		
an còta	a' chòta		
an t-aran		an arain	
am bainne	a' bhainne		
am balla	a' bhalla		
am bocsa	a' bhocsa		
am bodach		a' bhodaich	
am botal		a' bhotail	
an càise	a' chàise		
an cat		a' chait	

an ceann		a' chinn
an cnoc		a' chnuic
an crodh		a' chruidh
an cù		a' choin
an gual	a' ghuail	
an t-ìm	an ime	
am monadh	a' mhonaidh	
am pàipear		a' phàipeir
am peann		a' phinn
an t-uisge	an uisge	
an t-airgead		an airgid
an t-athair		an athar
an t-eagal	an eagail	
an t-iongantas	an iongantais	
an cnatan	a' chnatain	
an t-acras	an acrais	
am pathadh	a' phathaidh	
an dèideadh		an dèididh
am bràthair		a' bhràthar
an t-achadh	an achaidh	
an seòladair	an t-seòladair	
an cogadh	a' chogaidh	
an saighdear		an t-saighdeir
am ministear		a' mhinisteir
an loch	an locha	

Uses of the Genitive Case

The genitive case is used in the following circumstances:

a. When two nouns come together.
    e.g. the boy's coat = the coat of the boy — **còta a' bhalaich**
    Note that when two or more nouns come together in this way, only the last one takes an article.
    Note too that when more than two nouns are involved only the last one takes the genitive case.
    eg. **iuchair doras an t-seòmair** — the key of the door of the room.

b. After compound prepositions (see Lesson 43)
    e.g. air beulaibh **an taighe** — in front of the house

c. After the preposition **thar, chun, rè** and **trìd** (see Lesson 43)
    e.g. rè **an fheasgair** — during the evening

d. After a verbal noun (if the noun is definite)
    e.g. a' leughadh **an leabhair** — reading the book

31

e. After **làn** — full of; **pìos** — a piece of
e.g. pìos **arain** — a piece of bread

f. After an infinitive.
e.g. a dh'innseadh **na fìrinne**

Exercise 1. Read and translate:

1. làmh an duine; ceann an rathaid; balla a' phuirt; peann a' bhalaich; doras an taighe; làr an t-seòmair; uinneag an talla; leabhar a' ghille; bocsa a' chait; cas a' bhùird; pìos arain; bocsa càise; botal bainne; bata bodaich; leabhar balaich.

2. Bha iad a' ceannachd a' chòta ann am bùth Chaluim Bhàin.

3. Bha am bocsa làn guail nuair a dh'fhàg mi taigh a' bhodaich.

4. Chaidh mac (son) a' bhodaich chun a' Mhòid.

5. Chunnaic mi bàta mo bhràthar dìreach nuair a bha e a' fàgail a' phuirt.

Exercise 2. Translate into Gaelic:

1. The dog's box; the floor of the hall; the old man's table; the boy's money; my brother's son; a piece of cheese; a bottle of water; a box of coal; a man's house; the door of the house.

2. He was reading the book when I saw him at the old man's house.

3. I saw the piece of bread on the table in front of the door.

4. She was sitting beside (ri taobh) the fire reading the paper.

5. When we reached the end of the road, we saw Donald at the door of the hotel.

AN CEATHRAMH LEASAN FICHEAD

The Genitive Case (Singular)

Feminine Nouns

Feminine Nouns form the genitive case in much the same way as masculine nouns, but they never aspirate. The article with feminine nouns is **na (na h —**

before the vowel). The general rule for forming the genitive case is to add an **i** after the last broad vowel. A final **e** is usually added to one syllable words. There are the usual variations.

Noun	No change	Additional **i**	Change of vowel
an nighean			na nighinn
			(na h-ighinn)
an oidhche	na h-oidhche		
an eaglais	na h-eaglais		
a' mhadainn			na maidne
a' chèilidh	na cèilidh		
a' bhùth	na bùtha		
an litir			na litreach
a' Bheurla	na Beurla		
a' Ghàidhlig	na Gàidhlig		
an uinneag			na h-uinneig
an abhainn			na h-aibhne
a' chaileag			na caileig
a' chailleach			na caillich
a' chaora			na caorach
a' chas			na coise
a' ghrian			na grèine
an làmh		na làimhe	
a' mhuir			na mara
an uair			na h-uarach
an ùine	na h-ùine		
an naidheachd	na naidheachd		
a' mhàthair			na màthar
a' phiuthar			na peathar

Exercise 1. Read and translate:

1. Trèan (train) na h-oidhche; port na h-aibhne; leabhar na caileig; cat na caillich; litir mo mhàthar; achadh na caorach; blàths na grèine; cairteal na h-uarach; fad na h-oidhche; talla na h-eaglais.

2. Choisich bràthair na caileig dhachaigh aig deireadh na cèilidh.

3. Bha doras na bùtha fosgailte agus chuala sinn guth (voice) na caillich.

4. Tha bràthair do mhàthar ag obair air bruaich (bank) na h-aibhne.

5. Chuala sinn fuaim (sound) na mara a' tighinn tro cheò (mist) na maidne.

33

Exercise 2. Translate into Gaelic:

1. The old woman's dog; the water of the sea; the bank of the river; the shop door; the church window; the end of the letter; a sheep's head; my sister's house; a girl's voice; the morning paper.

2. They were learning Gaelic at evening classes in the church hall.

3. She was standing near the shop window, speaking to her aunt.

4. During the morning the old lady's daughter saw the girl's dog near the river bank.

5. I am sending this letter to the man who stays in the house beside the sea.

AN COIGEAMH LEASAN FICHEAD

The Future Tense (Regular Verbs)

To form the future tense of a regular verb, it is simplest to start with the root and add **(a)idh**.

e.g. Verbal Noun	Root	Future (affirmative)
a' bualadh	buail	**buailidh mi**
a' togail	tog	**togaidh mi**
ag òl	òl	**òlaidh mi**
a' fàgail	fàg	**fàgaidh mi**

To form the interrogative and other forms, simply prefix the affirmative with **an/am̧cha(n)** or **nach** and drop the **(a)idh**. e.g.

buailidh mi	am buail thu?	cha bhuail mi	nach buail thu?
togaidh mi	an tog thu?	cha tog mi	nach tog thu?
òlaidh mi	an òl thu?	chan òl mi	nach òl thu?
fàgaidh mi	am fàg thu?	chan fhàg mi	nach (fhàg thu?
			(fàg thu?

Exercise 1. Read and translate

1. Togaidh e taigh mòr ùr aig ceann shuas a' ghlinne. 2. Tha e ag ràdh nach fhàg e Glaschu ro dheireadh na bliadhna. 3. An cuir thu an litir seo anns a'

34

phost, mas e do thoil e? 4. Cha cheannaich mi siùcar aig a' phrìs seo. 5. Tòisichidh obair an là aig leth-uair an dèidh a seachd anns a' mhadainn a-màireach.

Exercise 2. Translate into Gaelic:

1. I am sure that he won't spend more than a week in this place. 2. I will leave the hall before 10 o'clock but he will stay long after that. 3. Will you buy a newspaper when you are at the shop today? 4. He says that she won't come back home until tomorrow. 5. The shop won't open until 9.30 tomorrow but it will shut at 1 o'clock as usual.

Vocabulary

gleann (m)	— glen	prìs (f)	— price
deireadh (m)	— end	shuas (adj)	— upper
toiseach (m)	— beginning	fada	— long
bliadhna (f)	— year	goirid	— short
seachdain (f)	— week	gus	— until
siùcar (m)	— sugar	a' cur anns a' phost	— posting (letter)
àite (m)	— place	mas e do thoil e	— please
còrr is	— more than		

AN SIATHAMH LEASAN FICHEAD

The Future Tense (Irregular Verbs)

The future forms of the irregular verbs are as follows:

Verb	Affirm.	(Neg.) Interr.	Neg.
a' breith	beiridh mi	am beir thu? nach beir thu?	cha bheir mi
a' cluinntinn	cluinnidh mi	an cluinn thu? nach cluinn thu?	cha chluinn mi
a' dèanamh	nì mi	an dèan thu? nach dèan thu?	cha dèan mi

a' dol	thèid mi	an tèid thu? nach tèid thu?	cha tèid mi
a' faicinn	chì mi	am faic thu? nach fhaic thu?	chan fhaic mi
a' faighinn	gheibh mi	am faigh thu? nach fhaigh thu?	chan fhaigh mi
ag ràdh	their mi	an abair thu? nach abair thu?	chan abair mi
a' ruigsinn	ruigidh mi	an ruig thu? nach ruig thu?	cha ruig mi
a' tighinn	thig mi	an tig thu? nach tig thu?	cha tig mi
a' toirt	bheir mi	an toir thu? nach toir thu?	cha toir mi

Vocabulary

crìoch (f)	— end, limit	ospadal (m)	— hospital
facal (m)	— word	ceòl (m)	— music
sealladh (m)	— sight, view	bean (f)	— woman, wife
uile	— all		

Exercise 1. Read and translate:

1. Beiridh mi air a' bhalach mun ruig e crìoch a' bhaile. 2. Chì mi sibh uile aig dà uair. 3. An tig thu leam nuair a thèid mi don bhaile a-nochd? 4. Chan eil fhios agam dè their e nuair a chluinneas e an naidheachd. 5. An abair thu facal no dhà riutha mun tòisich sinn? 6. Tha fios agam nach fhaic mi chaoidh sealladh cho bòidheach. 7. Cha tig i don chèilidh gun a bràthair. 8. An toir thu an leabhar seo do d'athair nuair a chì thu anns a' mhadainn e? 9. Cha chluinn mi ceòl na mara nuair a bhitheas mi a' fuireach ann am Peairt. 10. Dè nì e nuair a thèid a bhean a-steach don ospadal?

Exercise 2. Translate into Gaelic:

1. Goodnight, I'll see you in the morning. 2. Will you come to church with me? 3. You won't get a newspaper at this time of night (de dh'oidhche). 4. She is so tired that she won't say a word to anyone. 5. We won't reach town before 5 o'clock. 6. You won't see sheep on a hill or cattle in a field when you go to the big city. 7. He won't give her the money until tomorrow. 8. Where will I find a room in this village? 9. He says he won't do anything like that again. 10. You won't hear them speaking about their work.

Exercise 3. Translate into Gaelic:

1. I will hear him when he comes home. 2. Will you make the dinner tonight? 3. She won't go to the hotel with me. 4. Will you carry this box into the house? 5. We'll see her at the market. 6. Will you get a paper on the way home? 7. Will you say a few words to my brother before he leaves? 8. When will you reach Inverness? 9. Will they come to town today? 10. Will you give this letter to her brother?

AN SEACHDAMH LEASAN FICHEAD

The Relative Form of the Verb

This is formed from the future tense of any verb which forms its future with the ending **(a)idh**. We simply drop the **(a)idh**, replace it by **(e)as** and aspirate the first letter if possible.

e.g. bithidh — **bhitheas**   buailidh   — **bhuaileas**
     togaidh — **thogas**   cluinnidh — **chluinneas**
     òlaidh — **dh'òlas**   fàgaidh   — **dh'fhàgas**

This form is used instead of the future tense **after the interrogative words** (see Lesson 10), after the conjunctions **ged, nuair, ma, mar, (bh)on** (see Lesson 46) and after the relative pronouns **a** and **na** (see Lesson 31).

e.g. Cuin **a bhitheas** tu aig an taigh a-nochd?
     Ged **a thogas** e taigh ann an Dun Eideann, cha toigh leis an t-àite.
     Cuir na do phòcaid na **chumas** i.

N.B. The relative form can be used only in an affirmative statement.

Exercise 1. Read and translate:

1. Ma bhitheas feasgar fuar ann a-nochd, fuirichidh mi aig an taigh. 2. Thoir an litir seo don ghille a bhitheas na sheasamh aig doras na h-eaglais. 3. Am bi thu toilichte leis na bhitheas agad? 4. Bithidh e ag obair ann am bùth a bhràthar nuair a dh'fhàgas e an sgoil. 5. Bheir mi an sgian seo dhut ma bheir thu do pheann dhomh. 6. Ma thogas e taigh anns an achadh seo, bithidh e glè fhliuch.

Exercise 2. Translate into Gaelic:

1. Although he will be staying in Fort William tonight, he will be in Australia (Astràilia) before the end of the week.
2. When they leave the house, they will be going straight to the hall.
3. The man who will give you the letter will be standing at the church door.
4. Since he will be in Inverness tomorrow, I will go to the meeting (coinneamh f) in his place.
5. As you pass the harbour, you will see his boat.
6. I'll put all I need into this box.

AN T-OCHDAMH LEASAN FICHEAD

The Subjunctive Tense (Regular Verbs)

The subjunctive in Gaelic is the equivalent of the English conditional tense. It is most easily formed by starting with the past tense and adding **(a)inn** for the 1st person singular and **(e)adh** for the others.

e.g.	a' bualadh	bhuail mi	**bhuailinn/bhuaileadh tu,** etc
	a' togail	thog mi	**thogainn/thogadh tu**
	ag òl	dh'òl mi	**dh'òlainn/dh'òladh tu**
	a' fàgail	dh'fhàg mi	**dh'fhàgainn/dh'fhàgadh tu**

The interrogative and other parts are formed in the usual way e.g.

bhuailinn   am buailinn   cha bhuailinn   nach buailinn
bhuaileadh tu   am buaileadh tu   cha bhuaileadh tu   nach buaileadh tu

Vocabulary

dìnneir (f) (Gen. — na dìnnearach) — dinner
air falbh — away
sean   — old (comes before the noun)

Exercise 1. Read and translate:

1. Thuirt e nach tòisicheadh iad ro leth-uair an dèidh a seachd. 2. Cha bhruidhneadh e rium idir. 3. An ceannaicheadh tu an taigh ud? 4. Chan òladh i ach bainne. 5. Dh'innis mi dha gum fàgainn an taigh an dèidh na dìnnearach. 6. Dh'fhuirichinn air falbh on bhaile sin. 7. Chan fhàgadh iad an talla idir. 8. Dè chuireadh e air a cheann? 9. An obraicheadh iad anns an t-seana thaigh? 10. An cuireadh tu an leabhar seo air a' bhòrd?

Exercise 2. Translate into Gaelic:

1. I would never stay in that hotel. 2. Would you tell him that she isn't very well at all? 3. They wouldn't take any money at all. 4. I would walk home from church. 5. She would leave that house tomorrow. 6. They wouldn't speak to the old man. 7. He said he would write a letter to his father that day. 8. She said she wouldn't eat anything but bread in that house. 9. I knew they wouldn't return that day. 10. Would you run down to the shop?

AN NAOITHEAMH LEASAN FICHEAD

The Subjunctive Tense (Irregular Verbs)

Unlike regular verbs, irregular verbs form their subjunctive from the root. The forms are:

a' breith

bheirinn	am beirinn?	cha bheirinn	nach beirinn?
bheireadh tu	am beireadh tu?	cha bheireadh tu	nach beireadh tu?

a' cluinntinn

chluinninn	an cluinninn?	cha chluinninn	nach cluinninn?
chluinneadh tu	an cluinneadh tu?	cha chluinneadh tu	nach cluinneadh tu?

a' dèanamh

dhèanainn	an dèanainn?	cha dèanainn	nach dèanainn?
dhèanadh tu	an dèanadh tu?	cha dèanadh tu	nach dèanadh tu?

a' dol

rachainn	an rachainn?	cha rachainn	nach rachainn?
rachadh tu	an rachadh tu?	cha rachadh tu	nach rachadh tu?

a' faicinn

chithinn	am faicinn?	chan fhaicinn	nach fhaicinn?
chitheadh tu	am faiceadh tu?	chan fhaiceadh tu	nach fhaiceadh tu?

a' faighinn

gheibhinn	am faighinn?	chan fhaighinn	nach fhaighinn?
gheibheadh tu	am faigheadh tu	chan fhaigheadh tu	nach fhaigheadh tu?

ag ràdh

theirinn	an abairinn?	chan abairinn	nach abairinn?
theireadh tu	an abaireadh tu?	chan abaireadh tu	nach abaireadh tu?

a' ruigsinn

ruiginn	an ruiginn?	cha ruiginn	nach ruiginn?
ruigeadh tu	an ruigeadh tu?	cha ruigeadh tu	nach ruigeadh tu?

a' tighinn

thiginn	an tiginn?	cha tiginn	nach tiginn?
thigeadh tu	an tigeadh tu?	cha tigeadh tu	nach tigeadh tu?

a' toirt

bheirinn	an toirinn?	cha toirinn	nach toirinn?
bheireadh tu	an toireadh tu?	cha toireadh tu	nach toireadh tu?

Vocabulary

nota (m)	— pound	coille (f)	— wood, forest
còta (m)	— coat	cuideigin	— someone
na h-eòin (plur)	— birds	leabhar-lann (m)	— library
drochaid (f)	— bridge	luath	— fast

Exercise 1. Read and translate:

1. Bheirinn mìle nota airson còta mar sin. 2. Cha tigeadh iad leinn don bhaile. 3. Chan abairinn sin idir. 4. Dè a chithinn on uinneig? 5. Nach ruigeadh iad am port ro Dhiardaoin? 6. Chluinneadh tu na h-eòin a' seinn anns a' choille. 7. Thuirt cuideigin gum faighinn an leabhar anns an leabhar-lann. 8. Chaidh sinn don bhaile ach cha rachadh i leinn. 9. Thuirt e nach beirinn air mus ruigeadh e an drochaid. 10. Tha mi cinnteach nach dèanadh e rud mar sin.

Exercise 2. Translate into Gaelic:

1. She said that she would come to the school tomorrow morning. 2. Would you give me a pen, please? 3. I didn't think they would reach the village so quickly. 4. I told them they wouldn't see the river from the top of the mountain. 5. Would you say a few words to the children? 6. They told him he would get bread in Calum's shop. 7. The evening was warm but the old man wouldn't go out at all. 8. She didn't believe that I would hear her coming into the house. 9. I didn't think that they would do it. 10. I didn't know what to say (what I would say).

AN DEICHEAMH LEASAN FICHEAD

The Assertive Verb

Its forms are:

	Affirm.	Interr.	Neg.	Neg. Interr.
Present:	**is**	**an**	**cha(n)**	**nach**

(Dependent forms — **gur/nach**)

40

Past:	bu	am bu	cha bu	nach bu
Conditional		(Dependent forms — **gum bu/nach bu**)		

N.B. Bu aspirates the word following

    e.g. **Is brèagha** an là   **BUT** **Bu bhrèagha** an là
       It's a beautiful day   It was a beautiful day.

People learning Gaelic frequently have difficulty in deciding whether to use a simple part of the verb "to be" or one of the assertive forms. It is simplest to memorise the occasions on which the assertive forms must be used. These are:

1. To translate **I am, you are, he is, it is,** etc. when followed by:

    a. a proper noun. e.g. **Is esan Seumas. Is ise Màiri.**

    b. a common noun with a definite article
        e.g. **An tusa an saor? Chan e a' chiad uair.**

    c. a common noun with a possessive adjective
        e.g. **Is i mo mhàthair. Am b'e do bhràthair?**

    d. a pronoun e.g. **Is mise e.**

2. To translate the verb "to be" when it is used with two indefinite nouns.

    e.g. **Is eun cearc**   — A hen is a bird
       An iasg breac? — Is a trout a fish?

Note that the order of the nouns is reversed in Gaelic.

3. There is a third use of the assertive which we have not met yet. If it is a phrase which we wish to emphasise instead of a noun or pronoun, we use the forms:

    's ann   **an ann**   **chan ann**   **nach ann**
    b'ann   **am b'ann**   **cha b'ann**   **nach b'ann**

In practice most people use only the present tense forms, even if the main verb is used in another tense.

    e.g. **'S ann** anns a' mhadainn a **chunnaic** mi e.

There is still one important point to note.

The assertive verb can not be followed DIRECTLY by a definite or proper noun.

    e.g. He is the king — **Is e an rìgh** NEVER Is an rìgh e.

Vocabulary

ciontach	— guilty	dealbh (m)	— picture (gen. deilbh)
a' cosnadh	— winning	Leòdhasach	— Lewisman

duais (f)	— prize	tràigh (f)	— beach (gen. tràghad
rùnaire	— secretary	smeòrach (f)	— thrush
comann (m)	— society, association		

Exercise 1. Translate into Gaelic:

1. It was the carpenter who made the table. 2. I am the one who is guilty. 3. Mary is the girl who won the prize. 4. My sister is the secretary of that society. 5. It was a beautiful night. 6. Isn't that a lovely picture. 7. He says that he is a Lewisman. 8. Was it your sister who was sitting on the beach last night? 9. Is a thrush a fish? No. 10. It wasn't my mother at all.

AN T-AONA LEASAN DEUG AIR FHICHEAD

Relative Pronouns

In Gaelic there are three forms of the relative pronoun.

1. **a** — who, whom, which, that + an affirmative verb.

    e.g. Is e sin am fear **a chunnaic mi** an-raoir.
    That is the man (whom) I saw last night.

    If a relative pronoun is used with a preposition, the relative pronoun disappears and the preposition is followed by the same form as is used for the interrogative of the verb.

    e.g. Càit a bheil an duine **ris an robh** thu a' bruidhinn?
    Where is the man you were talking to?
    Is e sin an taigh **anns a bheil** e a' fuireach.
    That is the house in which he is staying.

2. **nach** — who, whom, which, that + a negative verb

    e.g. 'S e an t-aon duine **nach robh** aig a' chèilidh an-raoir.
    He's the only man who wasn't at the ceilidh last night.

3. **na** — what, that which, all that

    e.g A bheil thu toilichte leis **na tha** agad?
    Are you happy with what you've got?

42

N.B. The relative pronouns **a** and **na** are never followed by the simple future. Instead they use the form known as the relative future (See Lesson 27)

Vocabulary

tha dhìth orm — I need
daoine (plur. of duine) — people

rudan (plur. of rud) — things
an dùthaich (f) — country
(gen. — dùthcha)

an tè — the woman, the one
banais (f) — wedding
(gen. — bainnse)
pàrantan — parents
bhuineadh e — he would belong
coinneamh (f) — meeting

Exercise 1. Read and translate:

1. An robh e toilichte leis na bha aige no an robh rud sam bith eile a bha dhìth air? 2. Gu tric cluinnidh tu daoine a' bruidhinn mu na rinn iad, nuair bu chòir dhaibh bhith a' bruidhinn mu na rudan nach d'rinn iad. 3. Cha robh fios againn dè an dùthaich do am buineadh e. 4. Chunnaic sinn an duine ris an robh thu a' bruidhinn an-raoir. 5. Is e sin an tè a thug an litir dhomh.

Exercise 2. Translate into Gaelic:

1. Who was that lady I saw you with last night?
2. He is the only man who didn't speak to me at the wedding.
3. He is going back to the village in which his parents were born.
4. They were all talking about what the minister said.
5. Did you see the man who will be going to the meeting in Edinburgh?

AN DARA LEASAN DEUG AIR FHICHEAD

The Plural of Nouns (Masculine)

The plural of masculine nouns is formed normally in one of two ways:

1. By keeping the same form as the genitive singular (mostly one-syllable but sometimes two-syllable words).

2. By adding one of the endings − (e)an, − achan or − aichean

These forms are both subject and object as well as dative plurals and take the article **na** (na h− before vowels).

Noun	(e)an	achan	aichean	as Gen.	Change
gille	gillean				
là	làithean				
taigh	taighean				
duine					daoine
làr	—	—	—	—	—
leabhar			leabhraichean		
teine	teintean				
doras	dorsan			dorais	
bàta			bàtaichean		
baile	bailtean				
feasgar			feasgraichean		
cladach			cladaichean		
bòrd				bùird	
rathad	rathaidean				
seòmar			seòmraichean		
mòd	mòdan				
taigh-òsda	taighean-òsda				
bata			bataichean		
balach				balaich	
talla		tallachan			
port				puirt	
àm					amannan
còta			còtaichean		
aran	—	—	—	—	—
bainne	—	—	—	—	—
balla		ballachan			
bocsa			bocsaichean		
bodach				bodaich	
botal				botail	
càise	—	—	—	—	—
cat				cait	
ceann				cinn	
cnoc				cnuic	
cù				coin	
gual	—	—	—	—	—
ìm	—	—	—	—	—
monadh	monaidhean				
pàipear	pàipearan				
peann				pinn	
uisge	uisgean	uisgeachan			
airgead	—	—	—	—	—
athair			athraichean		
eagal	—	—	—	—	—

iongantas	iongantasan				
cnatan	cnatanan				
acras	—	—	—	—	—
pathadh	—	—	—	—	—
dèideadh	—	—	—	—	—
bràthair	bràithrean				
achadh	achaidhean				
seòladair	seòladairean				
saighdear	saighdearan				
saor				saoir	
cogadh	cogaidhean				
saoghal				saoghail	
ròn				ròin	
seòl				siùil	
sgoilear	sgoilearan				
gleann	gleann(t)an			glinn	
sliabh					slèibhtean
sruth	sruthan				
speur	speuran				
caraid					càirdean
toiseach	toisichean				
àite	àitean	àiteachan			
facal	faclan			facail	
sealladh	seallaidhean				
ceòl				ceòil	ciùil
eun				eòin	
rìgh	rìghrean				
breac				bric	
dealbh	dealbhan			deilbh	
guth	guthan				
fuaim	fuaimean				
loch	lochan				

Exercise 1. Make the following sentences plural:

1. Tha an cù aig an doras.
2. Chaidh am bodach don taigh-òsda.
3. Leugh am balach am pàipear.
4. Bha an duine anns an talla an-raoir.
5. Chuir an gille a chòta air.
6. Dh'fhàg am bàta am port.
7. Fhuair mi leabhar bho mo bhràthair.
8. Ruith an cat thairis air a' mhonadh.
9. Choisich m'athair air a' chladach.
10. Bha am botal air a' bhòrd anns an t-seòmar.

AN TREAS LEASAN DEUG AIR FHICHEAD

The Plural of Nouns (Feminine)
Feminine nouns usually form their plural by adding -(e)an but some take
-achan or -aichean and there are some irregular ones too.

Noun	(e)an	achan/aichean	irregular
nighean	nigheanan		
sgoil	sgoiltean		
oidhche			oidhcheannan
eaglais	eaglaisean		
madainn			maidnean
cèilidh	cèilidhean		
bùth	bùthan, bùithtean		
litir		litrichean	
uinneag	uinneagan		
abhainn		aibhnichean	
caileag	caileagan		
caora			caoraich
cas	casan		
làmh	làmhan		
muir			marannan
uair	uairean		uaireannan
naidheachd	naidheachdan		
màthair		màthraichean	
piuthar			peathraichean
beinn			beanntan
slat	slatan		
cailleach	cailleachan		
bliadhna		bliadhnachan	
seachdain	seachdainean		
prìs	prìsean		
crìoch	crìochan		
bean			mnathan
coille	coilltean		
drochaid	drochaidean		
cearc	cearcan		
duais	duaisean		
tràigh	tràighean		
smeòrach	smeòraichean		
dùthaich			dùthchannan
banais			bainnsean
coinneamh	coinneamhan		

Exercise 1. Make the following sentences plural:

1. Bha an oidhche glè fhuar.
2. Chaidh an nighean don chèilidh.
3. Chunnaic mi a' chaora tron uinneig.
4. Bha a' chaileag a' dol don eaglais.
5. Chuir mi seachad uair air a' bheinn anns a' mhadainn.
6. Chuala i an naidheachd bho a mhàthair.
7. Fhuair mo phiuthar litir nuair a bha i aig a' bhùth.
8. Bho m' uinneig chunnaic mi coille agus abhainn.
9. Bhris i a cas agus chiùrr i a làmh.
10. Bha a' chailleach anns an eaglais.

AN CEATHRAMH LEASAN DEUG AIR FHICHEAD

Genitive Plural of Nouns

The normal rule is that the genitive plural of nouns of both genders is the same as the basic form of the word, aspirated when indefinite, unaspirated when definite, and the article is **nan/nam**.

e.g. Masc. bòrd   of tables — **bhòrd**   of the tables — **nam bòrd**
     Fem. cas   of feet   — **chas**   of the feet   — **nan cas**

If, however, the final vowel of the basic word whose plural is formed by adding — **ean** is **i**, the genitive plural is usually taken, particularly in feminine words, to be the same as the other plural forms.

e.g. Masc. gille of young man — **ghillean**   of the young men — **nan gillean**
     Fem. eaglais of churches — **eaglaisean** of the churches — **nan eaglaisean**

Exercise 1. Make the following phrases plural:

leabhar balaich; bàta an duine; litir na caileig; doras na h-eaglais; taigh na màthar; bata a' bhodaich; làmh na caillich; achadh na caorach; cas bùird; uisge na h-aibhne.

Exercise 2. Give the Gaelic for:

the legs of the tables; the old men's houses; the windows of the churches; the water of the lochs; the young men's boat; the girls' dogs; men's hands; the cats' milk.

AN COIGEAMH LEASAN DEUG AIR FHICHEAD

Towns and Countries

Most towns have a simple one-word form such as those we have seen earlier e.g. Glaschu, Inbhir Nis, Sruighle, etc. A number have an article as part of the name.

The following is a selection of the larger or more important towns:

Am Blàr Dubh — Muir of Ord
A' Mhanachainn — Beauly
A' Chananaich — Fortrose
A' Chomraich — Applecross
An Eaglais Bhreac — Falkirk
An Gearasdan — Fort William
An Tairbeart — Tarbert
An t-Ath Leathan — Broadford
An t-Oban — Oban
Bàgh a' Chaisteil — Castlebay
Bail a' Chaolais — Ballachulish
Baile-Bhòid — Rothesay
Baile Dhubhthaich — Tain
Bail ùr an t-Slèibh — Newtonmore
Caol Acain — Kyleakin
Ceann Loch Chill Chiarain —
    Campbeltown
Ceann Loch Eire — Lochearnhead
Ceann Loch Gilp — Lochgilphead
Ceann Loch Lìobhainn —
    Kinlochleven
Cille Chuimein — Fort Augustus
Cill Rìmhinn — St. Andrews
Cinn a' Ghiùthsaich — Kingussie
Craoibh — Crieff
Creag an Iubhair — Craignure
Cuil-Iodair — Culloden
Drochaid Charra — Carr Bridge
Drochaid Ruaidh -- Roy Bridge
Druim na Drochaid — Drumnadrochit

Dun Bheagan — Dunvegan
Dun Breatann — Dumbarton
Dun Deagh — Dundee
Dun Eideann — Edinburgh
Dun Phàrlain — Dunfermline
Dun Omhain — Dunoon
Dun Rath — Dounreay
Glaschu — Glasgow
Inbhir Gòrdain — Invergordon
Inbhir Narann — Nairn
Inbhir Nis — Inverness
Inbhir Pheotharain — Dingwall
Inbhir Theòrsa — Thurso
Inbhir Uig — Wick
Lanraig — Lanark
Loch an Inbhir — Lochinver
Loch Baghasdail — Lochboisdale
Loch nam Madadh — Lochmaddy
Obair Bhrothaigh — Arbroath
Obaireadhain — Aberdeen

Peairt — Perth
Ploc Loch Aillse — Plockton
Portrìgh — Portree
Sliabh an t-Siorraim — Sheriffmuir
Sruighle — Stirling
Steòrnabhagh — Stornoway
Tobar-Mhoire — Tobermory
Tom an t-Sabhail — Tomintoul
Ullapul — Ullapool

Districts are similar. Some of these are:

An Apainn — Appin
An t-Eilean Dubh — Black Isle
An t-Eilean Sgitheanach — Skye
A' Mhorbhairn — Morven
Arainn — Arran
Arcaibh — Orkney
Asainn — Assynt
Barraigh — Barra
Eige — Eigg
Eilean Leòdhais — Lewis
Eilean nam Muc — Muck
Eilean Thiriodh — Tiree
Hiort — St. Kilda
Latharna — Lorne
Lodainn an Ear — East Lothian
Lodainn Meadhonach — Midlothian
Mùideart — Moidart
Na Hearadh — Harris
Ruma — Rum
Sealtainn — Shetland
Uibhist a Deas — South Uist
A' Ghàidhealtachd — The Highlands

Beàrnaraigh — Bernera
Beinn a' Bhaoghla — Benbecula
Bòd — Bute
Canaigh — Canna
Cinn Chàrdainn — Kincardine
Collasa — Colonsay
Colla — Coll
Diùra — Jura
Eilean I — Iona
Eilean Mhuile — Mull
Eilean Ruma — Rum
Fìobha — Fife
Ile — Islay
Leòdhas — Lewis
Lodainn an Iar — West Lothian
Moireibh — Moray
Muile — Mull
Ros — Ross
Scalpaigh — Scalpay
Toirbheartan — Torridon
Uibhist a Tuath — North Uist
A' Ghalltachd — The Lowlands

The old counties are prefixed by Siorrachd or Siorramachd (shire or sherriffdom). These are:

Siorr(am)achd Air — Ayrshire
Siorr(am)achd Bhòid — Bute
Siorr(am)achd Chille Chuithbeirt —
    Kirkcudbright
Siorr(am)achd Dhun-fris — Dumfries

Siorr(am)achd Earraghaidheal —
    Argyllshire
Siorr(am)achd Lanraig — Lanarkshire

Siorr(am)achd Narainn — Nairnshire

Siorr(am)achd Pheairt — Perthshire

Siorr(am)achd Rinn-friù —
    Renfrewshire
Siorr(am)achd Rosborg —
    Roxburghshire
Siorr(am)achd Shruighle —
    Stirlingshire

Siorrachd Bhanbh — Banffshire
Siorrachd Cheannrois — Kinross
Siorrachd Chlachmannain —
    Clachmannan
Siorrachd Dhun Breatann —
    Dunbartonshire
Siorrachd Inbhir Nis —
    Inverness-shire
Siorrachd Mhuireibh —
    Morayshire
Siorrachd Obaireadhain —
    Aberdeenshire
Siorrachd Phubuill —
    Peebles-shire
Siorrachd Rois — Ross-shire

Siorrachd Sheilcirc — Selkirkshire

Siorrachd Uigton — Wigtonshire

Countries follow the same pattern. Some of the countries are:

Alba — Scotland
Sasann — England
Eireann — Ireland
A' Chuimrigh — Wales
Breatann — Britain
An Roinn Eòrpa — Europe

A' Ghearmailt — Germany
A' Ghrèig — Greece

An Fhraing — France
An Eadailt — Italy

An Eiphit — Egypt
An Olaind — Holland
An t-Suain — Sweden
An Spàinn — Spain
Lochlann — Norway
Na h-Innseachan — India,
The Indies
Sina — China
Na Stàitean Aonaichte —
United States
Astràilia — Australia

Other countries would normally retain their own forms but may be given a Gaelicised spelling e.g. Ruisia/An Ruis.

AN SIATHAMH LEASAN DEUG AIR FHICHEAD

Irregular Nouns (Masculine)

As we have seen, nouns of both genders have unexpected changes of vowel in forming their different parts. It may be helpful here to note the more common patterns of change and to list the nouns most frequently met in each group.

Masculine Nouns

1. One-syllable words with the vowel **a** or **o** changing to **u** before adding **i** in the genitive.

    e.g. càrn (cairn)   cùirn   an càrn   na cùirn
         cùirn   chàrn   a' chùirn nan càrn
         càrn   cùirn   a' chàrn   na cùirn

    Similar are:

allt	— stream	clag	— bell	òrd	— hammer
bòrd	— table	cnoc	— hill	port	— harbour
ball	— member	falt	— hair	sloc	— pit
broc	— badger	fonn	— tune	toll	— hole
car	— turn	gob	— beak	tom	— hillock
crodh	— cattle	olc	— evil		

50

2. Some words in **ea** or **io** contract to **i** in the genitive singular.

e.g. ceann (head)   cinn   an ceann   na cinn
    cinn   cheann   a' chinn   nan ceann
    ceann   cinn   a' cheann   na cinn

Similar are:

biadh	— food	fear	— man	preas	— bush
breac	— trout	gleann	— glen	mac	— son
cinneadh	— clan	lìon	— net	sìol	— seed
coileach	— cock	peann	— pen		

3. Some nouns in **ea, eu** or **ia** change to **ei**.

e.g. cliabh (basket)   clèibh   an cliabh   na clèibh
    clèibh   chliabh   a'chlèibh   nan cliabh
    cliabh   clèibh   a'chliabh   na clèibh

Similar are:

càirdeas	— friendship	ceum	— step	fiadh	— deer
coibhneas	— kindness	ciall	— sense	iasg	— fish
ceàrd	— tinker	sliabh	— hillside, moor	nèamh	— heaven
ceart	— right				

4. Some nouns in **a** change to **oi**.

e.g. dall (blind man)   doill   an dall   na doill
    doill   dall   an doill   nan dall
    dall   doill   an dall   na doill

Similar are: gad — thong   Gall — Lowlander

5. Some words in **eu** change to **eòi**.

e.g. beul (mouth)   beòil   am beul   na beòil
    beòil   bheul   a' bheòil   nam beul
    beul   beòil   a' bheul   na beòil

Similar are:

deur	— tear	eun	— bird	feur	— grass
gleus	— order	neul	— cloud	meur	— finger
leus	— light	sgeul	— story		

6. Some nouns ending -**chd** remain unchanged in the singular and add -**(e)an** in the plural.

e.g. beachd (opinion)   beachdan   am beachd   na beachdan
    beachd   beachd   a' bheachd   nam beachd
    beachd   beachdan   a' bheachd   na beachdan

Similar are:

cleachd	— habit	beannachd	— blessing	fuachd	— cold
uchd	— breast	reachd	— law	feachd	— host

7. Some nouns with a slender vowel add **e** in the genitive.

e.g. mìr (bit, piece)	mìrean	am mìr	na mìrean
mìre	mhìrean	a' mhìre	nam mìrean
mìr	mìrean	a'mhìr	na mìrean

Similar are:

ìm — butter (but short **i** in gen.)   taigh — house   ainm — name

8. One-syllable words ending in a vowel insert a silent **th** in the plural.

e.g. nì (thing)	nithean	an nì	na nithean
nì	nithean	an nì	nan nithean
nì	nithean	an nì	na nithean

AN SEACHDAMH LEASAN DEUG AIR FHICHEAD

Irregular Nouns (Feminine)

Feminine irregular nouns follow the same patterns as masculine ones.

1. **a/o** changing to **u.**

long (ship)	longan	an long	na longan
luinge	long	na luinge	nan long
luing	longan	an luing	na longan

Similar are:

lorg — staff, trace   tonn — wave   tromp — trumpet

2. **ea/io** contracting to **i.**

cearc (hen)	cearcan	a' chearc	na cearcan
circe	chearc	na circe	nan cearc
circ	cearcan	a' chirc	na cearcan

Similar are:

crìoch — boundary   leac — flagstone

3. **ea, eu, ia** changing to **ei**.

grian (sun)	grianan	a' ghrian	na grianan
grèine	ghrian	na grèine	nan grian
grèin	grianan	a' ghrèin	na grianan

Similar are:

breug	— lie	geug	— branch	iteag	— feather
caileag	— girl	creag	— rock	sealg	— hunting
cealg	— deceit	fearg	— anger	uinneag— window
creach	— plunder	iall	— strap		

4. **a** changing to **oi**.

cas (foot, leg)	casan	a' chas	na casan
coise	chas	na coise	nan cas
cois	casan	a' chois	na casan

Similar are:

bas — palm   clach — stone   clann — children   fras — shower

5. **eu** changing to **eòi**.

NONE.

6. Nouns ending in **-chd**.

naidheachd (news)	naidheachdan	an naidheachd	na naidheachdan
naidheachd	naidheachd	na naidheachd	nan naidheachd
naidheachd	naidheachdan	an naidheachd	na naidheachdan

Similar is: rìoghachd — kingdom

7. Final vowel slender, adding **e**.

sràid (street)	sràidean	an t-sràid	na sràidean
sràide	shràidean	na sràide	nan sràidean
sràid	sràidean	an t-sràid	na sràidean

Similar, in effect, are all one-syllable feminine words.

8. Adding silent **th** in the plural.

cnò (nut)	cnòthan	a' chnò	na cnòthan
cnò	chnò	na cnò	nan cnò
cnò	cnòthan	a' chnò	na cnòthan

Similar is :   gleò — fight

AN T-OCHDAMH LEASAN DEUG AIR FHICHEAD

Numbers over 30

The numbers up to 40 continue in the pattern we saw earlier (See Lesson 15) Thus we get:

31 — aon deug air fhichead
32 — dà dheug air fhichead
33 — trì deug air fhichead

and so on up to
39 — naoi deug air fhichead
40 — dà fhichead

from 41 upwards the pattern changes and we get:
41 — dà fhichead 's a h-aon
42 — dà fhichead 's a dhà
43 — dà fhichead 's a trì etc.

For the 50s there are two forms:
50 — dà fhichead 's a deich   OR   leth-cheud
51 — dà fhichead 's a h-aon deug   leth-cheud 's a h-aon
52 — dà fhichead 's a dhà dheug   leth-cheud 's a dhà etc.

Otherwise the numbers continue to rise in units of twenty.
Thus: 60 — trì fichead   70 — trì fichead 's a deich
      80 — ceithir fichead   90 — ceithir fichead 's a deich
A hundred or **one hundred** is **ceud,** 200 — dà cheud, 300 — trì ceud, etc
1000 — mìle   2000 — dà mhìle   3000 — trì mìle etc.
1,000,000 — muillean

N.B. Some numbers take unexpected forms. These are:
Aon aspirates the next word. e.g. **aon fhear, aon chù (but not d** or **t** e.g. **aon duine, aon taigh)**
Dà takes a singular form and aspirates it. The form is the same as the dative.
e.g. **dà fhear** — 2 men: **dà bhalach** — 2 boys: **dà chraoibh** — 2 trees
Fichead, mìle and **muillean** are all followed by a singular noun
e.g. **fichead mionaid** — 20 minutes   **ceud each** — 100 horses
     mìle bliadhna — 1000 years   **muillean fear** — 1,000,000 men

NOTE too that there are special forms for use exclusively with persons. These are:

aonar, aonan, dithis, triùir, ceathrar, còignear, sianar, seachdnar, ochdnar, naoinear and **deichnear.**

From **dithis** upwards they take the genitive plural.
       e.g. **dithis mhac** — 2 sons

For a complete list of cardinal and ordinal numbers see Appendix A.

AN NAOITHEAMH LEASAN DEUG AIR FHICHEAD

Adjectives

Adjectives can be used predicatively (i.e. following the verb "to be") or attributively (i.e. directly describing a noun and placed alongside it). In Gaelic, the adjective used predicatively gives no problems, as it never changes, irrespective of the noun it describes.

e.g. Tha an gille (masc. sing.) **fuar.**   Tha an nighean (fem.sing.) **fuar**
     Tha na làithean (masc. plur.) **fuar.**   Tha na caileagan (fem. plur.) **fuar.**

When used attributively, however, the adjective changes to agree with the noun it describes and normally comes after it.

e.g. With the masculine singular word without an article it changes as follows:
    Subject or Object — a big boy   balach **mòr**
    Genitive   — of a big boy   balaich **mhòir**
    Dative   — with a big boy   le balach **mòr**

    In the plural, these become:
      big boys   balaich **mhòra** *
      of big boys   bhalach **mòra**
    with big boys   le balaich **mhòra** *

* (a) Adjectives of one syllable add **a** or **e**, according to the spelling rule. e.g. **mòr** becomes **mòra** BUT **glic** becomes **glice**.
  (b) When the plural of a noun is the same as the genitive singular, the adjective is also aspirated.

With a feminine singular noun without an article, the forms are:

        a big girl   caileag **mhòr**
     of a big girl   caileig **mòire**
  with a big girl   le caileig **mhòir**

In the plural, these become:

        big girls   caileagan **mòra**
     of big girls   chaileag **mòra**
  with big girls   le caileagan **mòra**

When we add the article to these (i.e. make the nouns definite), we find only one change.

      the big boy   am balach **mòr** (no change)
   of the big boy   a' bhalaich **mhòir** (no change)
 with the big boy   leis a' bhalach **mhòr** (adj. aspirated)

In the plural the adjectives does not change except to aspirate or not according to * above.

the big boys	na balaich **mhòra** BUT na gillean **mòra**
of the big boys	nam balach **mòra**
with the big boys	leis na balaich **mhòra** BUT leis na gillean **mòra**.

Similarly, with feminine nouns, we get:

the big girl	a' chaileag **mhòr** (no change)
of the big girl	na caileig **mòire** (no change)
with the big girl	leis a' chaileig **mhòir** (no change)

Plural

the big girls	na caileagan **mòra**	
of the big girls	nan caileag **mòra**	(no change)
with the big girls	leis na caileagan **mòra**	

N.B. When a feminine noun has the letter **i** as its **last** vowel in the plural, the adjective aspirates as with the masculine nouns.

e.g. **na caoraich dhubha** — the black sheep

Exercise 1. Translate into Gaelic:

A black sheep; the big door; the white sheep; big old men; warm days; of a wise man; with the big stick; out of the cold house; under a big table; to the clean town.

The dirty old woman's house; the tail (earball) of the black cat; the leg of the red dog; the shore of the big loch; a piece of black paper.

NOTE too that there is a small number of adjectives which come before the noun and usually aspirate the noun following them. These are:

droch	— bad	**deagh**	— good		**fìor**	— real, true	
seann	— old	**sàr**	— excellent		**ath**	— next	

e.g. droch shìde — bad weather   sàr dhuine — an excellent man
    seann chù — an old dog   fìor Ghàidheal — a true Gael
    deagh shlàint — good health   an ath bhliadhna — next year

AN DA FHICHEADAMH LEASAN

Comparison of Adjectives (Regular)

To form the comparative and superlative of adjectives, the basic rule is to add an **i** after the last broad vowel and then add **e**. To this is added **nas** (present tense) or **na bu** (past or conditional) to form the comparative and **as** or **a bu** to form the superlative. (Note that **bu** aspirates the first letter of the word following, but **d** and **t** are not affected.) **Than** after a comparison is translated by **na**.

e.g. bàn (fair)   nas bàine   as bàine
                  na bu bhàine   a bu bhàine
     òg (young)   nas òige   as òige
                  na b' òige   a b' òige

Some adjectives change in the comparative form in the same way as nouns.

e.g.   **a/o** changing to **u**   gorm   **guirme**
          ea/io changing to **i**   geal   **gile**
    ea/eu/ia changing to **ei**   dearg   **deirge**
            a changing to **oi**   dall   **doille**

Months, Seasons and Special Days

The **Months** in Gaelic are:

Am Faoilteach	— January	An Lùnasdal	— August
An Gearran	— February	An t-Sultuin	— September
Am Màirt	— March	An Dàmhair	— October
An Giblean	— April	An t-Samhain	— November
Am Màigh	— May	An Dùdlachd	— December
An t-Ogmhìos	— June	An Dùbhlachd	
An t-Iuchair	— July		

The **Seasons** are:

An t-Earrach	— Spring	Am Foghar	— Autumn
An Samhradh	— Summer	An Geamhradh	— Winter

Other Days to note are:

Nollaig	— Christmas	a' Chàisg	— Easter
Là (na) Nollaige	— Christmas Day	Dihaoine na Càisge	— Good Friday
A' Bhliadhn' Ur	— New Year	Oidhche Challainn	— Hogmanay
Là na Bliadhn' Uire	— New Year's Day	Oidhche Shamhna	— Halloween

C

Exercise 1. Translate into Gaelic:

1. The paper is white but the snow is whiter.
2. Donald is richer than Calum.
3. The big stone is heavier than the little stone.
4. My brother is taller than you.
5. The man's wife was much younger than himself.
6. You would think he was cleverer than anyone else.

Exercise 2. Read and translate:

1. Is e Donnachadh as òige den teaghlach.
2. Tha Iain sgìth ach tha Ruairidh nas sgìthe.
3. Bha am bràthair na b'òige na bu ghlice na am fear na bu shine.
4. B'i Màiri a bu bhàine de na peathraichean.
5. Is i Everest a' bheinn as àirde air an t-saoghal.

To make similes, there are two forms:

1. as . . . as + noun — **cho . . . ri** e.g. **cho cruaidh ri iarann**
2. as . . . as + phrase — **cho . . . 's a** e.g. **cho fuar 's a bha mi**

Exercise 3. Read and translate:

1. Cho luath ris a' ghaoith; cho làidir ri each; cho geal ris an t-sneachda; Tha Iain cho mòr ri Tòmas.
2. Chan eil i cho làidir riutsa.
3. Tha iad a cheart cho càirdeil 's a bha iad roimhe.
4. Chan eil e cho fileanta sa' Ghàidhlig 's a tha a bràthair.
5. Tha Alba cho beartach ris an t-Suain.

AN DA FHICHEADAMH LEASAN 'S A H-AON

Irregular Formation of Comparative and Superlative

There are several adjectives which form their comparative and superlative irregularly. The most common are:

beag (small, little)	nas lugha	as lugha
mòr (big, great)	nas motha	as motha
làidir (strong)	nas treasa	as treasa

math (good)	nas fheàrr	as fheàrr
olc, dona (bad)	nas miosa	as miosa
goirid (short)	nas giorra	as giorra
leathan (broad)	nas leatha	as leatha
teth (not)	nas teotha	as teotha
milis (sweet)	nas mìlse	as mìlse
cumhang (narrow)	nas cuinge	as cuinge
furasda (easy)	nas fhasa	as fhasa

Exercise 1. Translate into Gaelic:

1. The Isle of Skye is bigger than Barra but it is smaller than Lewis.
2. Derick is much stronger than his brother.
3. He was much better last night than he was last week.
4. The room was hotter when he came in than it was when the ceilidh started.
5. Mary is smaller than her younger brother.
6. This road is much shorter than the road through the village.
7. The river is broader near its mouth than it is in the town.
8. The path is worse this year than it was when I was here last.
9. This street is narrower than I remembered.
10. The question is easier to ask than to answer.

AN DA FHICHEADAMH LEASAN 'S A DHA

The word IF in Gaelic

There are several ways of translating this word in Gaelic, depending on the context.

1. Stating a fact — **ma**

   e.g. **Ma tha** thu sgìth, dèan suidhe.
   If (it is a fact that) you are tired, sit down.

2. Expressing a theory or supposition — **nan/nam**

   e.g. **Nan robh** mi sgìth, shuidhinn.
   If (supposing) I were tired, I would sit down.
   Nam bithinn nam thaigh fhèin, chaidlinn.
   If I were in my own house, I would sleep.

3. To express an indirect question — **interrogative form of the verb**

    e.g. Dh'fhaighnich e **an robh** mi sgìth.
        He asked if I were tired.

4. IF followed by a negative — **mur**

    e.g. **Mur eil** thu sgìth, gabh òran.
        If you aren't tired, let's have a song.

The constructions with these are:

MA — independent or relative form of the verb — **ma tha, ma bha, ma bhitheas**
NAN/NAM — dependent form   — **nan robh, nam bithinn/bitheadh**
MUR — dependent form — **mur eil, mur robh, mur bi, mur bitheadh.**

Exercise 1. Translate into Gaelic:

1. If you know who he is, tell me.
2. They asked if we were going to town.
3. If I don't come back before 8 o'clock, don't wait for me.
4. If they were here now, they would tell you about the house.
5. I don't know if he is at home tonight.
6. If you give me the money, I will give it to your sister tomorrow.
7. I'd give twenty pounds if ! thought he would take it.
8. I'll say that again if you didn't hear me.

AN DA FHICHEADAMH LEASAN 'S A TRI

Compound Prepositions and Prepositions taking cases other than the Dative Case.

1. Most compound prepositions consist of a prepositional form plus a noun and therefore take the genitive case. (See Lesson 23 Uses of the Genitive).

The most common are:

a chum — for the purpose of	air son — for, on account of
air muin — on top of	air cùlaibh — behind
air beulaibh — in front of	am measg — among
a dh'ionnsaigh — towards	còmhla ri(s))— along with (+ Dative)
an aghaidh — against	cuide ri(s))

an àite — instead of, in place of	an dèidh — after
mu choinneamh — opposite	an làthair — in the presence of
mun cuairt — around	mu thimcheall — about, regarding
os cionn — above	mu dheidhinn — about, concerning

N.B. In the same way as we cannot follow a simple preposition with a pronoun, a pronoun cannot be used with a compound preposition. Instead we use a possessive adjective in some form.

e.g. **air mo chùlaibh** — behind me	**nad dhèidh** — after you
air a shon — on his account	**nar làthair** — in our presence
mu do dheidhinn — about you	**gam ionnsaigh** — towards me

2. Prepositions taking the **genitive** case.

There are four of these:

thar — across, over	**chun/thun** — to, towards
rè — during	**trìd** — on account of

e.g. **thar na h-aibhne** — across the river	
thar bheinne — over the mountain	
chun a' Mhòid — to the Mod	
rè na h-oidhche — during the night	

3. Prepositions taking the **accusative** case (now the same in form as the nominative)

Two prepositions invariably take the accusative case: **eadar** — between
seach — past

e.g. **eadar duine agus a bhean** — between a man and his wife
seach a' bheinn agus am monadh — past the mountain and the moor

A further two, **mar** — like, as and **gus** — to, until, also take the accusative when followed by a definite noun.

e.g. **gus an duine** — to the man	**mar a' chlach** — like the stone
	BUT **mar chloich** — like a stone

Exercise 1. Read and translate:

1. Trìd na tàmailt a fhuair e, dh'fhàg e an t-àite.
2. Bha e tinn rè na seachdain.
3. Cheannaich am balach biadh airson an eich.
4. Thàinig e chun an dorais.
5. Leum na coin thar na h-aibhne agus chuir iad na h-uain gus a' bheinn.
6. Bha iad a' seòladh an aghaidh na gaoithe.
7. Chuir e a làmh air muin an leabhair agus shuidh mi air a bheulaibh.
8. Tha loch air cùlaibh an taighe agus tha soithichean beaga, geala air.

61

Exercise 2. Translate into Gaelic:

1. The house is between the river and the sea.
2. I woke during the night and saw a man in front of the house.
3. The wind was against us and we took shelter behind a wall.
4. After the shower we walked towards the town.
5. The men were tired and hungry on account of the hard work.
6. I saw bottles on a shelf behind him and a mirror on the wall opposite me.
7. I came towards the river and saw a sheep with the lamb.
8. They went into the house and found themselves in the presence of their father.

AN DA FHICHEADAMH LEASAN 'S A CEITHIR

Adverbs

There are not many simple (i.e. one-word) adverbs in Gaelic but there are many compound adverbs.
The simplest way to form an adverb is to put **gu** before an adjective.

e.g. **gu math** — well   **gu dìleas** — faithfully

N.B. If we add **glè, ro** or **fìor, gu** is omitted. e.g. **glè mhath** — very well.
Some common adverbs are:

Adverbs of Time

cheana	— already	fhathast	— still, yet	roimhe	— before
daonnan	— always	riamh	— ever (past)	chaoidh	— ever (future)
minig	— frequently				
a-nis	— now	a-rìs (rithist)	— again		
an-dràsda	— just now	a-nochd	— tonight		
an-diugh	— today	an-raoir	— last night		
an-dè	— yesterday	an uiridh	— last year		
a-màireach	— tomorrow	am bliadhna	— this year		
gu bràth	— forever	gu tric	— often		
a dh'aithghearr	— soon				

Adverbs of Place

| shìos | — down, below | sìos | — down(wards) | a-nìos | — down from |
| shuas | — above | suas | — up(wards) | a-nuas | — up from |

thall	— over	a-null	— over (to)	a-nall	— over from

thall   — over   a-null   — over (to)   a-nall   — over from
a-staigh — inside   a-steach — in, into
a-muigh — outside   a-mach — out
thall 's a bhos   — here and there
an siud 's an seo   —
an seo, an sin, an siud — here, there, yonder
an ear — east   tuath   — north
an iar — west   deas   — south

Adverbs of Manner

mar seo, mar sin, mar siud — like this, like that, thus, so
gu lèir — altogether   air leth   — apart, separately
gu dearbh — indeed   gu leòr   — enough
gu cinnteach — certainly   le chèile   — together
air èiginn — scarcely, with difficulty

Exercise 1.   Read and translate:

1. Tha e daonnan anns an eaglais ach chan eil e fhathast math gu leòr.
2. Is minig a bha mise air a' mhuir, ach gu dearbh cha robh mi riamh sona.
3. Thàinig e cheana; chunnaic mise an-dràsda e.
4. Tha e shìos aig a' chladach.
5. Tha am bodach tinn agus tha an dotair ag ràdh nach bi e chaoidh slàn.
6. Dhòirt an t-uisge a-nuas air feadh na tìre.
7. Bha mi deas is tuath, an ear 's an iar, ach tha mi a-nis ann an Alba a-rithist.
8. Alba gu bràth!

Exercise 2.   Translate into Gaelic:

1. I've never seen him before but I know now who he is.
2. I've often been there; there isn't a better place in Scotland.
3. That's right: it is very good indeed.
4. Yes, but is it good enough?
5. I've told him again and again already but he still won't believe me.
6. He grew angry, went out of the house and walked here and there throughout the village.
7. He came over to us and we spoke together for a long time.
8. I don't know how many there were, but I'm sure there were a hundred altogether.

AN DA FHICHEADAMH LEASAN 'S A COIG

Defective Verbs

There are a few defective verbs in Gaelic (i.e. verbs which exist only in certain forms). The most common are:

a. **Arsa** — said

This exists only in the past tense and is used either with a noun subject or with the emphatic form of the pronoun (mise, thusa, esan, ise, etc.)

e.g. ''Thig a-steach,'' **ars' esan** — ''Come in,'' he said.

b. There are 4 verbs which exist only as imperatives:

Trobhad — come here   **tiugainn** — come

thugad — look out   **siuthad** — go on, proceed

c. **Theab** — almost (qualifying verb)

e.g. **Theab mi tuiteam** — I almost fell.

d. There are also a few defective auxiliary verbs and verbs formed by using the assertive verb together with a prepositional pronoun.

faodaidh mi — I may   **dh'fhaotainn** — I might

feumaidh mi — I must   **dh'fheumainn** — I would have to

is eudar dhomh — I must

is fheàrr leam — I prefer   For others, see Lesson 18.

When verbs from (c) and (d) are followed by another verb, there are two possible constructions.

1. If the first verb is followed by another having an object, the object comes first and is followed by the infinitive. If the infinitive is aspirated using the **a dh'** form, however, the **a dh'** is dropped.

   e.g. **Feumaidh tu an doras a dhùnadh** — You must shut the door.

   Bu toigh leis an sgoil fhàgail — He would like to leave school.

2. If the following verb has no object, the verbal noun is used, less the **a'** or **ag**.

   e.g. **Bu chòir dhuinn uile dol ann** — We all ought to go (there).

Exercise 1.   Read and translate:

1. Faodaidh tu suidhe ach feumaidh mi seasamh.
2. Chan urrainn dhomh an sgian fhosgladh.

3. Bha a' ghaoth a' sèideadh agus b'eudar dhuinn an doras a ghlasadh.
4. Feumaidh mi aideachadh gum b'fheàrr leam fuireach an seo.
5. Theab mi a bhualadh nuair a thuirt e sin rithe.
6. Am faod mi a' chathair seo a ghabhail?
7. Bu chòir dhuinn bruidhinn sa' Ghàidhlig cho tric 's as urrainn dhuinn.
8. Feumaidh gu bheil e air nuadh thighinn don bhaile.

Exercise 2. Translate into Gaelic:

1. You ought to see her; she's the most beautiful girl I've ever seen.
2. He fell on the road and nearly broke his leg.
3. Come here, boy. Can you open this door?
4. I have only a little money and I must keep it until tomorrow.
5. I would like to put my name in for the job.
6. If he didn't come before 9 o'clock, I would have to stay at home.
7. Were you able to go to town last night? No, but my brother was.
8. I'm sorry but I must go now.

Exercise 3. Translate into Gaelic:

1. Don't wait for me; I may be very late.
2. They can't come tonight; he has a terrible cold and she almost fell down the stairs this morning.
3. The wind was so strong last night that we had to get up and lock the door.
4. I like to stay at home but he prefers to spend his holidays abroad.
5. I can't see the book you want; it must have been thrown out last year.
6. I must say that he did a good job although he wasn't too happy himself.
7. Do you know if the hotel was sold before he went abroad?

AN DA FHICHEADAMH LEASAN 'S A SIA

The Passive

There are three passive tenses in Gaelic — past, present and subjunctive. (As with the indicative, the future can be used to express the present tense.) There are three main ways of forming each tense:

Past   1.   By adding — **(e)adh** to the past indicative.

> e.g.   Verbal noun   Past Ind.   Past Pass.
>   a' bualadh   bhuail   **bhuaileadh**

Dhùineadh an doras — The door was closed.

2.   Using the past indicative of **a' dol** plus the **infinitive**.

> e.g.   **Chaidh an doras a dhùnadh. N.B. Chaidh mo chumail air ais**

Note that verbs which aspirate using the **a dh'** form, drop this.

> e.g.   **Chaidh an doras fhosgladh** — the door was opened.

3.   Using the past of **a bhith** + **air** + possessive
     adjective + verbal noun

> e.g.   **Bha an doras air a dhùnadh**
>   **Bha an uinneag air a dùnadh.**

The other tenses are formed in a similar way.

Future   1.   By adding — **(e)ar** to the root of the verb.

> e.g   Verbal noun   Root   Future pass.
>   a' bualadh   buail   **buailear**

Dùinear an doras — The door will be closed.

2.   Future of **a' dol** plus the **infinitive**.
     Thèid an doras a dhùnadh

3.   Future of **a bhith** + **air** + possessive adjective + verbal noun

> e.g.   **Bithidh an doras air a dhùnadh**

Subjunctive   1. By adding — **t(e)adh** to the past indicative.

> e.g.   Verbal noun   Past Indic.   Subjunctive Pass.
>   a' bualadh   bhuail   **bhuailteadh**

Dhùinteadh an doras — The door would be closed.

2. Subjunctive of **a' dol** plus the **infinitive**.

> e.g.   **Rachadh an doras a dhùnadh. Rachadh mo chumail air ais.**

3. Subjunctive of **a bhith** + **air** + possessive
   adjective + verbal noun.

> e.g.   **Bhitheadh an doras air a dhùnadh.**

It is occasionally possible to convey the passive by using the past participle of the verb along with the appropriate tense of **a bhith**. The past participle is formed by adding **ta/te** to the root of the verb.

Thus, for the past, future and subjunctive passives, we get:

> **Bha an doras dùinte**
> **Bithidh an doras dùinte**
> **Bhitheadh an doras dùinte.**

Exercise 1. Read and translate:

1. Dh'fhalamhaicheadh na bailtean agus dh'fhuadaicheadh na daoine.
2. Cuirear na làithean-saora seachad air an Eilean Sgitheanach.
3. Dh'fhosgailteadh a' bhùth aig seachd uairean.
4. Chuireadh obair iasgaich air chois anns na h-Eileanan an iar anns an t-siathamh linne deug.
5. Rugadh agus thogadh Dòmhnall ann an Leòdhas.
6. Chailleadh mòran dhaoine nuair a chaidh an soitheach fodha.

Exercise 2. Translate into Gaelic:

1. All the words will be found in the dictionary.
2. The house will be built between the church and the shop.
3. This table was made by the carpenter in Borve.
4. Many old songs were found in Barra.
5. All the money that was collected was given to the hospital.
6. The road will be opened by the Secretary of State.

Translate into Gaelic:

1. When John came home from Africa, he was sent to Edinburgh.
2. The new hospital was closed as there wasn't enough money.
3. She was told that, if she was late, she would be left behind.
4. This book was written two years ago.
5. The new school will be opened at the end of the year.
6. She said the food would be spoilt if we were late.

AN DA FHICHEADAMH LEASAN 'S A SEACHD

Compound Tenses

The equivalent of the English perfect tense (I have said), the pluperfect (He had left), the future perfect (She will have read) and the conditional perfect

(We would have heard) is obtained by replacing the a' or ag of the verbal noun by air, and using the appropriate tense of a bhith, present, past, future or subjunctive (conditional).

Thus:

Tha mi ag èisdeachd	— I am listening	**Tha mi air èisdeachd**	— I have listened
Bha mi ag obair	— I was working	**Bha mi air obair**	— I had worked
Bithidh sinn a' sgrìobhadh	— We'll be writing	**Bithidh sinn air sgrìobhadh**	— We'll have written
Bhitheadh iad a' tòiseachadh	— They would be starting	**Bhitheadh iad air tòiseachadh**	— They would have started

If the verb in a compound tense has an object, the construction changes slightly. The object comes immediately after the air and the verbal noun part is replaced by the infinitive. (Note that, as in the Passive form, the a dh' form of aspiration is omitted and that a pronoun object is replaced by the possessive pronoun.)

Thus we get:

I have bought a new car	— **Tha mi air càr ùr a cheannach.**
They had left town	— **Bha iad air am baile fhàgail.**
He will have drunk all the milk	— **Bithidh e air am bainne uile òl.**
We would have left her at home	— **Bhitheadh sinn air a fàgail aig an taigh**

Exercise 1. Read and translate:

1. Tha am bus air falbh.
2. Am bi thu air an litir a chur anns a' phost?
3. Cha bhitheadh iadsan air sin a dhèanamh.
4. Nach robh e air tighinn dhachaigh?
5. A bheil e air na caoraich a chruinneachadh?
6. Bha mi cinnteach gu robh iad air dol don bhaile.
7. Tha mi a' creidsinn gum bi iad air feitheamh rinn.
8. Thuirt i nach bitheadh e air am biadh itheadh.

Exercise 2. Translate into Gaelic:

1. She told me that he had gone to school.
2. Fortunately the train has waited for them.
3. I'm sure that they will have gone home.
4. She will have put the sugar on the table.

5. **He** said that **you** had broken the window.
6. Scarcely had I begun the work when he came back.
7. John has built a new house at the upper end of the glen.
8. Charles and Mary had spent many happy years together.
9. It was a long time since we had seen them.
10. Would **you** have believed him?

AN DA FHICHEADAMH LEASAN 'S A H-OCHD

Conjunctions

The most common conjunctions are:

mar	— as	**ged**	— although	**far**	— where
nuair	— when	**on**	— since	**mun/mum/mus**	— before

The construction with these is:

mar
nuair   tha   bha   a bhitheas   bhitheadh
ged
on

far	a bheil	an robh	am bi	am bitheadh
mun/mum	bheil	robh	bi	bitheadh

In the negative they all take the dependent forms.

i.e.   **nach eil**   **nach robh**   **nach bi**   **nach bitheadh**

Exercise 1. Read and translate:

1. Mar tha fios agad, feumaidh mi am baile fhàgail mus tig mo bhràthair.
2. On bha mi glè sgìth, chaidil mi na b'fhaide na b'àbhaist dhomh.
3. Ged nach robh e glè mhòr, bha e mòran na bu treasa na duine sam bith eile anns a' bhaile.
4. Bha e anmoch mun do dh'fhàg iad an talla.
5. Ged a bhitheas e trang, bithidh e deònach cuideachadh a thoirt do neach sam bith.
6. On nach robh airgead agamsa an-raoir, b'eudar dhomh fuireach aig an taigh.
7. Mus tig e, innis dhomh rud no dhà mu a dheidhinn.

Exercise 2. Translate into Gaelic:

1. Although I've never been in Norway, I know it's a beautiful place.
2. The village where I was born is a big town now.
3. When I saw him last, he was only ten years old.
4. As you will see, the house isn't very big but it is very comfortable.
5. I haven't heard that song since I was in Lewis last year.
6. Before you go, tell us where you put the key.

AN DA FHICHEADAMH LEASAN 'S A NAOI

Test Sentences

1. If you know what happened, tell me.
2. It's getting dark already; hurry up or we'll be late.
3. I saw that he wasn't very pleased that we didn't speak to him.
4. They came home early although we weren't expecting them.
5. She was pleased to hear that you are much better than you were last week.
6. Is there anyone who hasn't heard the news yet?
7. Will you say a few words to them before we start?
8. He isn't as fluent in Gaelic as he would like to be.
9. I don't think the apples are ready yet.
10. Do you know what happened to the books I bought yesterday?
11. Although he isn't very rich, he always looks happy.
12. When he went past, I remembered where I had seen him before.
13. Darkness didn't fall until about 8 o'clock.
14. Did you think we would be so late?
15. I've never heard such a peculiar story.
16. Whose book is that on the table?
17. When I see him, I'll remember who he is.
18. I wasn't sure where you would be at that time.
19. We must get home before daybreak.
20. Although I've never seen him before, I know now who he is.
21. I reached the hall at 7.30 but they didn't start before 8 o'clock.
22. You ought to do that this way or you'll hurt yourself.
23. I'm sure he won't come now; it's 9 o'clock already and he is always here before 8.30.
24. Although the shop was shut when I went past, I thought I heard a man's voice.

25. Just before we reached the end of the wood, we saw them coming a good distance away.
26. He's only a boy but you would think it was a man's head he had on his shoulders.
27. If I don't come before 9 o'clock, don't wait for me; I may be very late.
28. I've never seen a taller man in my life; he must be nearly 7 feet tall.
29. One of these days he'll break his neck if he's not careful.
30. Was there anything else you wanted or are you happy with what you have got?
31. Someone said I'd get a boat from William's son, James.
32. It was during the morning I saw him last as he was going slowly past the shoemaker's shop.
33. We all ought to go; it will be an excellent night and who knows who all will be there?
34. I don't know him at all; he must have come to town recently.
35. We weren't expecting them yet; the last time we saw them they were at the carpenter's house.
36. I haven't seen anything like that since I was abroad two years ago.
37. To tell the truth, you'd think he was cleverer than anyone else in the village.
38. I don't think there's a better place in Scotland; if there is, I've never heard of it.
39. Very often you'll hear people speaking about what they have done when they ought to be speaking about the things they haven't done.
40. Although he hasn't travelled throughout the whole Highlands, he knows the larger islands very well.
41. He has been a sailor for only a few months; before that, he worked on a farm from the end of the war.
42. Wait there and get a hold of him as he goes past; if he won't stop, let him go.
43. Although it was late when we got to the lower end of the parish, there were still plenty of lights on in the houses.
44. After a long, cold winter we are all looking forward impatiently to the warm days of summer.
45. Although I've never seen the sun setting on the slopes of the Andes Mountains, I know I'll never see a sight more beautiful to my eye than this one.

APPENDIX A

NUMERALS

Cardinal Numbers (with a noun)

	Masculine	*Feminine*
1	aon fhear	aon chraobh
2	dà fhear	dà chraoibh
3	trì fir	trì craobhan
4	ceithir fir	ceithir craobhan
5	còig fir	còig craobhan
6	sia fir	sia craobhan
7	seachd fir	seachd craobhan
8	ochd fir	ochd craobhan
9	naoi fir	naoi craobhan
10	deich fir	deich craobhan

From 11-19, we simply add **deug** to the previous numerals and the noun comes between the two parts.

11	aon fhear deug	aon chraobh deug
12	dà fhear dheug	dà chraoibh dheug
13	trì fir dheug	trì craobhan deug
etc.		
20	fichead fear	fichead craobh

Numbers 21-29 use the previous numerals plus **fichead** instead of deug/dheug.

21	aon fhear fichead	aon chraobh fichead
22	dà fhear fichead	dà chraoibh fichead
23	trì fir fichead	trì craobhan fichead
etc.		
30	deich fir fichead	deich craobhan fichead

Numbers 31-39 use the numerals we have already learned for 11 — 19 plus **air fhichead.**

31	aon fhear deug air fhichead	aon chraobh deug air fhichead
32	dà fhear dheug air fhichead	dà chraoibh dheug air fhichead
33	trì fir dheug air fhichead	trì craobhan deug air fhichead
etc.		
40	dà fhichead fear	dà fhichead craobh

For numbers above this, we add the cardinal number without a noun. e.g.
a h-aon, a dhà, etc.

41	dà fhichead fear 's a h-aon	dà fhichead craobh 's a h-aon
42	dà fhichead fear 's a dhà	dà fhichead craobh 's a dhà
43	dà fhichead fear 's a trì	dà fhichead craobh 's a trì
etc.		

50	dà fhichead fear 's a deich	dà fhichead craobh 's a deich
or	leth-cheud fear or	leth-cheud craobh
51	dà fhichead fear 's a h-aon deug	dà fhichead craobh 's a h-aon deug
or	leth-cheud fear 's a h-aon or	leth-cheud craobh 's a h-aon
etc.		
60	trì fichead fear	trì fichead craobh
70	trì fichead fear 's a deich	trì fichead craobh 's a deich
80	ceithir fichead fear	ceithir fichead craobh
90	ceithir fichead fear 's a deich	ceithir fichead craobh 's a deich
100	ceud fear	ceud craobh
200	dà cheud fear	dà cheud craobh
1000	mìle fear	mìle craobh
2000	dà mhìle fear	dà mhìle craobh
1000000	muillean fear	muillean craobh

N.B. Cardinal numbers without a noun simply add **a** before the number.
  e.g. a trì, a ceithir, etc.

  Note, however, **a h-aon, a dhà, a h-ochd.**

Note too that numbers containing **deug** used with a noun aspirate the word
deug if the final vowel of the noun is **i**.

The Ordinal Numbers

These are formed by adding — **(e)amh** to the cardinal number, but watch the
following:

1st	a' chiad	a' chiad fhear
		a' chiad chraobh
2nd	an dara	an dara fear
		an dara craobh
3rd	an treas	an treas fear
		an treas craobh
4th	an ceathramh	an ceathramh fear
		an ceathramh craobh
6th	an siathamh	an siathamh fear
		an t-siathamh craobh

8th	an ochdamh	an t-ochdamh fear
		an ochdamh craobh
9th	an naoitheamh	an naoitheamh fear
		an naoitheamh craobh
11th	an aona deug	an t-aona fear deug
		an aona craobh deug
12th	an dara deug	an dara fear deug
		an dara craobh deug
21st	an aona fichead	an t-aona fear fichead
		an aona craobh fichead
22nd	an dara fichead	an dara fear fichead
		an dara craobh fichead
41st	an dà fhicheadamh 's a h-aon	an dà fhicheadamh fear 's a h-aon
		an dà fhicheadamh craobh 's a h-aon

APPENDIX B

Nouns — Indefinite and Definite

Nouns beginning		Masculine				Feminine			
		indef. sg.	*def. sg.*	*indef. pl.*	*def. pl.*	*indef. sg.*	*def. sg.*	*indef. pl.*	*def. pl.*
d t l n r sg sm sp st	N	doras	an doras	dorsan	na dorsan	sgoil	an sgoil	sgoiltean	na sgoiltean
	G	dorais	an dorais	dhoras	nan doras	sgoile	na sgoile	sgoiltean	nan sgoiltean
	D	doras	an doras	dorsan	na dorsan	sgoil	an sgoil	sgoiltean	na sgoiltean
b f m p c g	N	balach	am balach	balaich	na balaich	clach	a' chlach	clachan	na clachan
	G	balaich	a' bhalaich	bhalach	nam balach	cloiche	na cloiche	chlach	nan clach
	D	balach	a' bhalach	balaich	na balaich	cloich	a' chloich	clachan	na clachan
sl sn sr s + vowel	N	seòl	an seòl	siùil	na siùil	slat	an t-slat	slatan	na slatan
	G	siùil	an t-siùil	sheòl	nan seòl	slaite	na slaite	slat	nan slat
	D	seòl	an t-seòl	siùil	na siùil	slait	an t-slait	slatan	na slatan
Vowel	N	each	an t-each	eich	na h-eich	uinneag	an uinneag	uinneagan	na h-uinneagan
	G	eich	an eich	each	nan each	uinneig	na h-uinneig	uinneag	nan uinneag
	D	each	an each	eich	na h-eich	uinneig	an uinneig	uinneagan	na h-uinneagan

APPENDIX C

Prepositional Pronouns

AIG		AIR		ANN	
agam	againn	orm	oirnn	annam	annainn
agad	agaibh	ort	oirbh	annad	annaibh
aige	aca	air	orra	ann	annta
aice		oirre		innte	

AS		BHO/O		DE	
asam	asainn	(bh)uam	(bh)uainn	dhiom	dhinn
asad	asaibh	(bh)uat	(bh)uaibh	dhiot	dhibh
as	asda	(bh)uaithe	(bh)uapa	dheth	dhiubh
aisde		(bh)uaipe		dhith	

DO		EADAR		FO	
dhomh	dhuinn	—	eadarainn	fodham	fodhainn
dhut	dhuibh	—	eadaraibh	fodhad	fodhaibh
dha	dhaibh	—	eatorra	fodha	fodhpa
dhi		—		foidhpe	

GU/CHUN/THUN		LE		MU	
thugam	thugainn	leam	leinn	umam	umainn
thugad	thugaibh	leat	leibh	umad	umaibh
thuige	thuca	leis	leotha	uime	umpa
thuice		leatha		uimpe	

RI		RO		TRO	
rium	rinn	romham	romhainn	tromham	tromhainn
riut	ribh	romhad	romhaibh	tromhad	tromhaibh
ris	riutha	roimhe	romhpa	troimhe	tromhpa
rithe		roimhpe		troimhpe	

THAR	
tharam	tharainn
tharad	tharaibh
thairis	tharta
thairte	

All prepositional pronouns can be emphasised by adding the suffixes shown below. They are invariable, irrespective of the spelling rule.

agam**sa**	again**ne**
agad**sa**	agaibh**se**
aige**san**	aca**san**
aice**se**	

The Verb

Active — Regular Verbs

Verbal Noun	Past	Future	Subjunctive	Imperative	Infinitive	Past Participle
a' bualadh	Ind. bhuail	buailidh	bhuailinn bhuaileadh buailinn buaileadh	buail(ibh)	a bhualadh	buailte
	Dep. do bhuail	buail				
a' togail	Ind. thog	togaidh	thogainn thogadh togainn togadh	tog(aibh)	a thogail	togta
	Dep. do thog	tog				
ag òl	Ind. dh'òl	òlaidh	dh'òlainn dh'òladh òlainn òladh	òl(aibh)	a dh'òl	òlta
	Dep. do dh'òl (d'òl)	òl				
a' fàgail	Ind. dh'fhàg	fàgaidh	dh'fhàgainn dh'fhàgadh fàgainn fàgadh	fàg(aibh)	a dh'fhàgail	fàgta
	Dep. do dh'fhàg (d'fhàg)	fàg				

Irregular Verbs

Verbal Noun	Past	Future	Subjunctive	Imperative	Infinitive	Past Participle
a' breith	Ind. rug	beiridh	bheirinn bheireadh beirinn beireadh	beir(ibh)	a bhreith	beirte
	Dep. do rug	beir				
a' cluinntinn	Ind. chuala	cluinnidh	chluinninn chluinneadh cluinninn cluinneadh	cluinn(ibh)	a chluinntinn	cluinnte
	Dep. cuala	cluinn				

Verbal noun	Past (Ind./Dep.)	Future	Conditional	Imperative	Infinitive	Past participle
a' dèanamh	Ind. rinn Dep. d'rinn	nì dèan	dhèanainn dhèanadh dèanainn dèanadh	dèan(aibh)	a dhèanamh	dèanta
a' dol	Ind. chaidh Dep. deach	thèid tèid	rachainn rachadh rachainn rachadh	rach(aibh)	a dhol	—
a' faicinn	Ind. chunnaic Dep. faca	chì faic	chithinn chitheadh faicinn faiceadh	faic(ibh)	a dh'fhaicinn	faicte
a' faighinn	Ind. fhuair Dep. d'fhuair	gheibh faigh	gheibhinn gheibheadh faighinn faigheadh	faigh(ibh)	a dh'fhaighinn	faighte
ag ràdh	Ind. thuirt Dep. tuirt	their abair	theirinn theireadh abairinn abradh	abair(ibh)	a ràdh	theirte
a'ruigsinn	Ind. ràinig Dep. d'ràinig	ruigidh ruig	ruiginn ruigeadh ruiginn ruigeadh	ruig(ibh)	a ruigsinn	ruigte
a' tighinn	Ind. thàinig Dep. tàinig	thig tig	thiginn thigeadh tiginn tigeadh	thig(ibh)	a thighinn	—
a' toirt	Ind. thug Dep. tug	bheir toir	bheirinn bheireadh toirinn toireadh	thoir(ibh)	a thoirt	tugta

Passive — Regular Verbs

Verbal Noun	Past	Future	Subjunctive	Infinitive
a' bualadh	Ind. bhuaileadh	buailear	bhuailteadh	ri bualadh
	Dep. do bhuaileadh	buailear	buailteadh	
a' togail	Ind. thogadh	togar	thogtadh	ri togail
	Dep. do thogadh	togar	togtadh	
ag òl	Ind. dh'òladh	òlar	dh'òltadh	ri òl
	Dep. do dh'òladh	òlar	òltadh	
	(d'òladh)			
a' fàgail	Ind. dh'fhàgadh	fàgar	dh'fhàgtadh	ri fàgail
	Dep. do dh'fhàgadh	fàgar	fàgtadh	

Irregular Verbs

Verbal Noun	Past	Future	Subjunctive	Infinitive
a' breith	Ind. rugadh	beirear	bheirteadh	ri breith
	Dep. d'rugadh	beirear	beirteadh	
a' cluinntinn	Ind. chualadh	cluinnear	chluinnteadh	ri cluinntinn
	Dep. do chualadh	cluinnear	cluinnteadh	
a' dèanamh	Ind. rinneadh	nithear	dhèantadh	ri dèanamh
	Dep. d'rinneadh	dèanar	dèantadh	
a' dol	N O N E			
a' faicinn	Ind. chunnacas	chithear	chiteadh	ri faicinn
	Dep. facas	faicear	faicteadh	
a' faighinn	Ind. fhuaras	gheibhear	gheibhteadh	ri faighinn
	fhuaradh			
	Dep. d'fhuaras	faighear	faighteadh	
	d'fhuaradh			
ag ràdh	Ind. thuirteadh	theirear	theirteadh	ri ràdh
	Dep. tuirteadh	abairear	abairteadh	
a' ruigsinn	Ind. ràinigeadh	ruigear	ruigteadh	ri ruigsinn
	Dep. d'ràinigeadh	ruigear	ruigteadh	
a' tighinn	N O N E			
a' toirt	Ind. thugadh	bheirear	bheirteadh	ri toirt
	Dep. tugadh	toirear	toirteadh	

VERBAL NOUNS

The following is a list of verbal nouns used in the book, supplemented by other common ones which should be known. Verbal nouns marked * form their tenses irregularly. (See Appendix D).

ag adhlacadh — burying
ag agairt — claiming
ag àicheadh — denying, refusing
ag aideachadh — admitting
ag ainmeachadh — naming, announcing
ag aithneachadh — knowing, recognising
ag aithris — telling, relating
ag amharc — looking, watching
ag aomadh — bending, yielding
ag aontachadh — agreeing
ag àrdachadh — raising, heightening
ag atharrachadh — changing, altering
a' bacadh — hindering, obstructing
a' bàsachadh — dying
a' bàthadh — drowning
* a' beirsinn — bearing
* a' breith — bearing
a' beòthachadh — animating, rekindling
a' beucaich — roaring
a' blasadh — tasting
a' bleoghann — milking
a' boillsgeadh — shining
a' breabadh — kicking
a' briseadh — breaking
a' brùchdadh — bursting out
a' brùchdail — bursting out
a' bruich — boiling
a' bruidhinn (ri) — speaking (to)
a' bualadh — striking
a' buain — harvesting
a' cadal — sleeping
a' call — losing

a' cantainn — saying
a' caochladh — changing, dying
a' caoidh — lamenting
a' caoineadh — weeping, wailing
a' carachadh — moving
a' càradh — repairing
a' ceadachadh — allowing, permitting
a' ceannachd — buying
a' ceasnachadh — questioning
a' cèilidh (air) — visiting
a' ciallachadh — meaning
a' ciarachadh — darkening
a' cinntinn — growing
a' ciùrradh — hurting
a' cladhach — digging
a' cleachdadh (ri) — accustoming
a' clòdh-bhualadh — printing
a' cluich — playing
* a' cluinntinn — hearing
a' cogadh — fighting
a' coimhead — looking
a' coinneachadh — meeting
a' coiseachd — walking
a' comhairleachadh — advising
a' comhartaich — barking
a' còmhdachadh — covering
a' còmhnaidh — staying, dwelling
a' còrdadh — agreeing, pleasing
a' cosnadh — earning, winning
a' crathadh — shaking
a' creidsinn — believing
a' crìochnachadh — ending, finishing
a' crith — trembling
a' crochadh — hanging, depending (ri)
a' cromadh — bending
a' cruinneachadh — gathering

a' cuimhneachadh — remembering
a' cumail — holding, keeping
a' cur — putting
a' dealachadh — parting, separating
a' deàlrachadh — shining
* a' dèanamh — making, doing
a' dearbhadh — proving
a' deàrrsadh — shining
a' deasachadh — preparing
a' dìon(adh) — sheltering
a' dìreadh — climbing
a' diùltadh — denying, refusing

a' dlùthachadh — approaching,
                 nearing
* a' dol — going
a' dùnadh — closing
a' dùsgadh — walking
ag eadar-dhealachadh — separating,
                       differing
ag eadar-theangachadh — translating
ag èigheach(d) — shouting
ag èirigh — rising
ag èisdeachd (ri) — listening
a' fàgail — leaving
* a' faicinn — seeing
* a' faighinn — finding, getting
a' faireachadh — feeling, perceiving
a' faireachdainn — feeling, perceiving
a' falachadh — hiding, concealing
a' falbh — going, departing
a' fàs — growing, becoming
a' feitheamh (air or ri) — waiting
a' feuchainn — trying
a' fighe — knitting
a' fòghlam — teaching, educating
a' foillseachadh — showing, revealing
a' fosgladh — opening
a' freagairt — answering
a' fuadachadh — dispersing, banishing
a' fuaigheal — sewing
a' fuine(adh) — baking
a' fuireach(d) — staying
a' gabhail — taking, accepting
a' gàireachdainn — laughing

a' gealltainn — promising
a' gearradh — cutting
a' gèilleadh — surrendering
a' geumnaich — lowing, bellowing
a' giùlan — carrying, bearing
a' glacadh — catching
a' glanadh — cleaning
a' glasadh — locking
a' gleidheadh — preserving
a' gluasad — moving
a' gnogadh — knocking
a' goil — boiling, seething
a' gràdhachadh — loving, admiring
a' gul — weeping
ag iarraidh — asking, requiring
ag iasgach — fishing
ag imeachd — going
ag innseadh — telling
ag iomain — urging, driving
ag iomair(t) — rowing
ag iomradh — rowing
ag ionndrainn — longing, missing
ag ionnsachadh — learning, training
ag ithe(adh) — eating
a' labhairt — speaking
a' laighe — lying
a' lasadh — lighting, burning
a' leantainn — following
a' leigeil — letting, allowing
a' leughadh — reading
a' leum — jumping
a' lìonadh — filling
a' liùgadh — creeping
a' lorg(adh) — tracing, tracking
a' maothachadh — softening
a' marbhadh — killing
a' mealladh — deceiving
a' mèilich — bleating
a' meudachadh — increasing
a' milleadh — spoiling
a' mìneachadh — smoothing
a' misneachadh — encouraging
a' mothachadh — noticing
a' mùthadh — changing
a' neartachadh — strengthening

a' nochdadh — showing
ag obair — working
ag òrdachadh — ordering
a' pàidheadh — paying
a' pasgadh — wrapping
a' pògadh — kissing
a' pòsadh — marrying
a' pronnadh — mashing, mincing
* ag ràdh — saying
a' rannsachadh — searching
a' reic — selling'
a' riaghladh — ruling
a' riarachadh — satisfying
a' roinn — dividing
a' ruagadh — chasing
* a' ruigheachd — reaching
* a' ruigsinn —   reaching
a' ruith — running
a' rùsgadh — peeling, stripping
a' sabaid — fighting
a' sadadh — brushing, throwing off
a' salachadh — dirtying
a' saoilsinn — thinking
a' sàsachadh — satisfying, sating
a' sealg — hunting
a' sealltainn — looking
a' seasamh — standing
a' seinn — singing
a' seòladh — sailing
a' sgaoileadh — scattering
a' sgapadh —   scattering
a' sgeadachadh — decorating
a' sgriachail — screeching
a' sgrìobadh — scraping
a' sgrìobhadh — writing
a' sguabadh — sweeping
a' sgur — stopping
a' sileadh — dropping, flowing
a' sìneadh — stretching
a' siubhal — travelling
a' slaodadh — hauling
a' slugadh — swallowing
a' smaoin(t)eachadh — thinking
a' smuain(t)eachadh — thinking
a' snàmh — swimming

a' snìomh — spinning
a' stad — stopping
a' stèidheachadh — establishing,
                founding
a' stiùireadh — steering, directing
a' suathadh — rubbing, wiping
a' suidhe — sitting
a' suidheachadh — planting, situating
* a' tabhairt — giving
a' tachairt — happening
a' tadhal — visiting
a' taghadh — choosing, electing
a' taiceadh — supporting
a' tairgse — offering
a' tàladh — enticing, luring
a' tàmh — dwelling, resting
a' tanachadh — thinning
a' taomadh — emptying, pouring
a' tarraing — pulling
a' teagasg — teaching
* a' teachd — coming
* a' tighinn — coming
a' teannachadh — tightening
a' tilgeil — throwing
a' tional — gathering, picking up
a' tionndadh — turning
a' tioramachadh — drying
a' togail — lifting, building
a' toileachadh — pleasing, gratifying
* a' toirt — giving
a' tòiseachadh — starting
a' tomhas — weighing, guessing
a' trèigsinn — leaving, abandoning
a' treòrachadh — leaving, guiding,
                strengthening
a' truailleadh — polluting, despoiling
a' tuigsinn — understanding
a' tuiteam — falling
ag ùghdarachadh — authorising
ag uidheamachadh — equipping
ag ullachadh — preparing,
                making ready
ag ùrachadh — renewing
ag urramachadh — honouring, revering

82

GAELIC — ENGLISH VOCABULARY

A

abhainn (f) — river
àbhaisteach — usual
acair (f) — anchor
achadh (m) — field
acras (m) — hunger
ad (f) — hat
adhar (m) — air
adhartas (m) — progress
adhbhar (m) — reason
ag adhlacadh — burying
ag agairt — claiming
aghaidh (f) — face
an aghaidh — facing
ag aideachadh — admitting
aig — at
aigne (f) — mind, spirit
aimhreit (f) — discord
aimsir (f) — weather, season
a dh'aindeoin — despite
aineolach — ignorant
ainm (m) — name
ag ainmeachadh — naming,
                 announcing
ainmeil — famous
ainnir (f) — virgin, maid
air — on
air neo — or else
airc (f) — distress, poverty
àireamh (f) — number
airgead (m) — money, silver
aiseag (m) — ferry
aisling (f) — dream
ag aisling — dreaming
àite (m) — place
àite-teine (m) — fireplace
a dh'aithghearr — soon
Alba (f) — Scotland
Alba Nuadh — Nova Scotia
Albannach — Scotsman

allt (m) — burn, stream
àm (m) — time
àm-bliadhna (m) — season
amhach (f) — neck
ag amharc — looking, watching
anabarrach — exceptional(ly)
ana-ceartas (m) — injustice
anail (f) — breath
anmoch — late
ann an/ anns — in
annas (m) — novelty, rarity
annasach — novel, rare
aobrann (m) — ankle
aodach — (m) — clothes
aodann (f) — face
aoidheil — kindly, hospitable
aois (f) — age
aonranach — lonely
aonranachd (f) — loneliness
ag aontachadh — agreeing
aosda — aged, old
ag àrachadh — rearing
àraidh — special
ar-a-mach (m) — rebellion   ʻ
aran (m) — bread
aran-coirce (m) — oatcakes
àrd — high, loud
àrd-sgoil (f) — secondary school
arm (m) — army
armailt (m) — army
astar (m) — distance
Astràilia — Australia
athair (m) — father
atharrachadh (m) — change
ag atharrachadh — changing
ag ath-nuadhachadh — renewing

B

baile (m) — town, village
baile mòr — city

83

bainne (m) — milk
balach (m) — boy
ball (m) — ball, member
ball-coise — football
balla (m) — wall
bàn — fair, white
banais (f) — wedding
banaltrum (f) — nurse
banrìgh (f) — queen
bantrach (f) — widow
barail (f) — opinion
bàrd (m) — bard
bàrdachd (f) — poetry
bàrr (m) — top
barrachd — more
Barraigh — Barra
bas (f) — palm
bàs (m) — death
a' bàsachadh — dying
bascaid (f) — basket
bata (m) — stick, rod
bàta (m) — boat
bàt'-aiseig — ferryboat
batail — battle
a' bàthadh — drowning
bàthaich (m) — byre
bathais (f) — forehead
beachd (m) — opinion
beag — small, little
beagan — a little
beairt (f) — machine
beairt-fuaigheil — sewing-machine
bealach (m) — pass
bean (f) — woman, wife
bean-teagaisg — teacher
bean-uasal — lady
a' beannachadh — blessing
beannachd (f) — blessing
beàrnan-Brìde (m) — dandelion
beartach — rich
beatha (f) — life
beathach (m) — animal
beinn (f) — mountain
beithe (f) — birch

beò — alive
beothail — lively
a' beucaich — roaring
beul (m) — mouth
biadh (m) — food
biasd (f) — beast
bile (f) — lip
binn — sweet (of sound or person)
Bìoball (m) — Bible
biodag (f) — dirk
blàr (m) — field, battle
blas (m) — taste
a' blasadh — tasting
blàth — warm
blàth (m) — flower
blàths (m) — warmth
bliadhna (f) — year
bòcan (m) — apparition, ghost
bochd — poor
bocsa (m) — box
bodach (m) — old man
bòidheach — beautiful
a' boillsgeadh — shining
boineid (f) — bonnet
boireannach (m) — woman, female
bonn (m) — sole, heel, medal, coin
bòrd (m) — table
botal (m) — bottle
bracaist (f) — breakfast
bradan (m) — salmon
bragadaich — boasting
bràthair (m) — brother
bràthair-cèile — brother-in-law
a' breabadh — kicking
breac (m) — trout
breacan (m) — tartan
breacan-beithe (m) — chaffinch
brèagha — lovely, beautiful
a' breith — bearing, carrying
a' breith air — catching up
briathar (m) — word
briathrail — wordy, talkative
briogais (f) — trousers
brioscaid (f) — biscuit

a' briseadh — breaking
bròg (f) — shoe
broilleach (m) — breast
bròn (m) — sorrow
brònach — sad
brù (f) — stomach
brù-dhearg (f) — robin
bruach (f) — bank
bruadar (m) — dream
a' brùchdadh — bursting
a' bruich — boiling
a' bruidhinn — speaking
buachaill (m) — shepherd
buadh (f) — virtue
a' bualadh — striking
buan (m) — harvest
a' buain — harvesting
buidheann (f) — team, company
buntàta (m) — potato
bùrn (m) — water
bùth (f) — shop

C
cabhadh sneachda (m) —
                    snowdrift
cabhag (f) — haste
a' cadal — sleeping
cagailt (f) — fireplace, hearth
caileag (f) — girl
cailin (f) — girl
cailleach (f) — old woman
cailleach-oidhche — owl
cainnt (f) — language
càirdeil — friendly
cairteal (m) — quarter
càise (m) — cheese
caisteal (m) — castle
a' call — losing
calltain (m) — hazel
calma — brave
calman (m) — dove
calpa (m) — calf (of leg)
caman (m) — shinty stick
camanachd (f) — shinty

camhanach (f) — dawn, half-light
canach (f) — bog cotton
cànain (f) — language
a' caochladh — changing, dying
a' caoineadh — weeping
caol — narrow
caol (m) — strait
caol an dùirn — wrist
caora (f) — sheep
caorann (m) — rowan
car (m) — job, trick
càr (m) — car
a' carachadh — moving, stirring
caraid (m) — friend
carbad (m) — vehicle
càrn (m) — cairn
cas (f) — foot
cas-chrom — plough
càs (m) — case, hardship
cat (m) — cat
cathair (f) — chair
ceann (m) — head
ceanna-bhaile — capital
a' ceannachd — buying
ceannaiche (m) — buyer, merchant
ceannairc (f) — rebellion, uprising
cearc (f) —.hen
cearc-choille — pheasant
cearc-fhraoich — grouse
cearc-thomain — partridge
ceàrd (m) — tinker
ceàrn(aidh) (f) — district
ceàrr — wrong
ceart — right
ceartas (m) — right, justice
ceasnachadh (m) — catechism,
                    questioning
cèic (m) — cake
a' cèilidh (air) — visiting
cèis (f) — envelope
ceist (f) — question
ceò (m) — mist, fog
ceòl (m) — music
a chaoidh — ever

cheana — already
cèile/chèile — in-law
a' Chomraich (f) — Applecross
a' Chuimrigh (f) — Wales
ciall (f) — sense
a' ciallachadh — meaning
cian — distant
cianalas (m) — homesickness
ciaradh (m) — twilight
cidhe (m) — quay, pier
cinnt (f) — certainty
cinnteach — certain, sure
cìobair (m) — keeper, shepherd
cion-foighidinn (m) — impatience
os cionn — above, over
ciont (m) — guilt
ciontach — guilty
cìr (f) — comb
ciùin — calm
a' ciùrradh — hurting
clach (f) — stone
clachan (m) — hamlet
cladach (m) — shore
cladh (m) — burial ground
clag (m) — bell
claidheamh (m) — sword
claistneachd (f) — hearing
clamhan (m) — buzzard
clamhan-ruadh — kestrel
clàrsach (m) — clarsach, harp
cliabh (m) — basket
cliù (m) — fame
clò(dh) (m) — print
a' clò-bhualadh — printing
cluas (f) — ear
cluasag (f) — pillow
a' cluich — playing
a' cluinntinn — hearing
cnàmh (f) — bone
cnatan (m) — cold
cnoc (m) — hill
co-aoiseach — contemporary
còcaireachd (f) — cooking
cofaidh — coffee

co-fharpais (f) — competition
cogadh (m) — war
a' cogadh — fighting
coibhneil — kind, courteous
coigreach (m) — stranger
coileach (m) — cockerel
coileach dubh — blackcock
coille (f) — wood, forest
an coimeas ri — in comparison to
a' coimhead — looking
coimhthional (m) — congregation
coinean (m) — rabbit
a' coinneachadh — meeting
coinneal (f) — candle
coinneamh (f) — meeting
coirce (m) — oats
coire (m) — kettle, corrie
a' coiseachd — walking
còisir (f) — choir
colaisd(e) (f) — college
coltach ri — similar to
comasach — possible
comhairle (f) — advice, council
a' comhartaich — barking
còmhla ri — along with,
          together with
a' còmhnadh — helping
a' còmhnaidh — dwelling, staying
an còmhnaidh — always
còmhnard — level, smooth
còmhnard (m) — plain
a' còmhradh — conversing
comhfhurtail — comfortable
companach (m) — companion,
          company
comann (m) — association, society
comannach — communist
cor (m) — condition, state
corp (m) — body
corrach — steep
a' cosnadh — earning, winning
còta (m) — coat
cothrom (m) — chance,
          opportunity

craiceann (m) — skin
crann (m) — mast, plough
crann-lach (f) — wild duck
craobh (f) — tree
a' crathadh — shaking
creag (f) — rock
creideamh (m) — creed, belief
a' creidsinn — believing
creutair (m) — creature
cridhe (m) — heart
cridheil — hearty
crìoch (m) — limit, boundary
a' crìochnachadh — finishing
a' crochadh — hanging
crodh (m) — cattle
croit (f) — croft
croitear (m) — crofter
a' cromadh — bending, coming
      down
cruadal (m) — hardihood
cruaidh — cruel, hard
crùbach — lame
cruinn — round
cruinneachadh (m) — gathering
a' cruinneachadh — gathering
cruithneachd (m) — wheat
crùn (m) — crown
cù (m) — dog
cuairt (f) — journey, trip, circle
mun cuairt — around
cuan (m) — ocean
an Cuan Siar — Atlantic
cùbaid (f) — pulpit
cuibhle (f) — wheel
cuide ri — along with,
      together with
cuideachd — also
cuideachd (f) — company
a' cuideachadh — helping
cuileag (f) — fly
cuilean (m) — puppy
cuimhne (f) — memory
a' cuimhneachadh — remembering
cuinneag (f) — bucket

cuireadh (m) — invitation
cùirt (f) — court
cùirtear (m) — curtain
cùl (m) — back
air cùlaibh — behind
a' cumail — holding, keeping
cumanta — common
cumhachd (m) — power
cumhang — narrow
cunnart (m) — danger
cunnartach — dangerous
cùnntair (m) — counter
cùnntas (m) — counting, account,
      arithmetic
cupan (m) — cup
a' cur — putting
a' cur ceistean — asking questions
cùram (m) — care
cùramach — careful
cuspair (m) — subject, object
cuthag (f) — cuckoo

D

dachaigh (f) — home
dhachaigh — home(wards)
dag(a) (m) — pistol
dall — blind
damh (m) — stag
damhan-allaidh (m) — spider
dàn (m) — song, fate
a' dannsadh — dancing
daoine — people
daolag (f) — beetle
daonnan — always
daor — dear, expensive
darach (m) — oak
da-rìribh — indeed
de — of
an-dè — yesterday
a' dealachadh — parting
dealan(ach) (m) — lightning,
      electricity
dealbh (m) — picture
dealbh-chluich — play

a' deàlrachadh — shining
deamhas (m) — shears, scissors
a' dèanamh — making, doing
a' deann-ruith — rushing
deanntag (f) — nettle
gu dearbh — indeed
dearbhadh (m) — proof
dearg — red
a' deàrrsadh — shining
deas — south
a' deasachadh — preparing
dèideadh (m) — toothache
dèidheil air — keen on
deireadh (m) — end
mu dheireadh — at last
mu dheireadh thall — at long last
deise (f) — suit
deiseil — ready
deoch (f) — drink
deòin (f) — wish
deònach — willling
deuchainn (f) — test, exam
Dia — God
diamhaireach (f) — mystery
a' dìochuimhneachadh —
                    forgetting
dìg (f) — ditch
dìleab (f) — inheritance
dìleas — faithful
dìlseachd (f) — fidelity,
                    faithfulness
dìnnear (f) — dinner
a' dìon(adh) — protecting
dìot-maidne (f) — breakfast
dìreach — straight, just
a' dìreadh — climbing
dìth (m) — lack, need, want
an-diugh — today
a' diùltadh — denying, refusing
dlùth — near
a' dlùthachadh — nearing,
                    approaching
dòigh (f) — way, method, manner
dòigheil — neat, orderly

doire (f) — grove
a' dol — going
domhainn — deep
dona — bad
donn — brown
dorcha — dark
dorchadas (m) — darkness
dòrn (m) — fist
doras (m) — door
dotair (m) — doctor
an-dràsda — just now
an-dràsda 's a-rithist — now and
                    again
dreathan-donn (m) — wren
driùchd (m) — dew
droch — bad
drochaid (f) — bridge
druid (f) — starling
druim (m) — back
druma (f) — drum
duais (f) — prize
dubh — black
duilleag (f) — leaf, page
duine (m) — man
duine uasal — gentleman
a' dùnadh — shutting, closing
Dun Deagh — Dundee
Dun Eideann — Edinburgh
a' dùsgadh — waking
dùthaich (f) — country, land

E
each (m) — horse
eachdraidh (f) — history
an Eadailt (f) — Italy
eadar — between
eadar-dhealaichte — separated,
                    different
ag eadar-theangachadh —
                    translating
eadhon — even
eagal (m) — fear
eaglais (f) — church
eala (f) — swan

eallach (f) — burden, load
            (Masc. in Wester Ross)
ear — east
earb (f) — roe deer
earball (m) — tail
earrach (m) — spring
Earraghaidheal — Argyll
eas (m) — waterfall
èasgaidh — obliging, willing
eathar (m) — small boat
ag èigheachd — shouting
èiginn (f) — need, want
eilean (m) — island
an t-Eilean Sgitheanach — Skye
eilid (f) — hind
eilthireach (m) — foreigner
an Eiphit (f) — Egypt
eireag (f) — pullet
Eireann — Ireland
ag èirigh — rising
ag èisdeachd ri — listening to
eòlas (m) — knowledge
eòrna (m) — barley
eun (m) — bird

F
facal (m) — word
faclair (m) — dictionary
fada (bh)o — far from
fadalach — late
a' fàgail — leaving
a' faicinn — seeing
a' faighinn — finding, getting
a' faighneachd — asking
fàile(adh) (m) — scent
fàilte (f) — welcome
fàinne (f) — ring
a' faireachdainn — feeling
fairge (f) — sea
faisg air — near
falamh — empty
fallain — healthy
fallas (m) — sweat
falt (m) — hair

fann — weak
faoin — daft, foolish
faothachadh (m) — relief
fàradh (m) — ladder
faram (m) — noise
faramach — noisy
farsaingeachd (f) — width,
                    distance
farsainn — wide
a' fàs — growing, becoming
fàsach (m) — desert
fasgach — sheltered
fasgadh (m) — shelter
feadag (f) — whistle, flute
feadan (m) — chanter
air feadh — throughout
feadhainn (f) — a few
feannag (f) — crow
feanntag (f) — nettle
fear (m) — man, one
fear na cathrach — chairman
fear-an-taighe — chairman, host
fear-deasachaidh — editor
fear-lagha — lawyer
fear nam fiacaill — dentist
fear-stiùiridh — director
fear-teagaisg — teacher
fear-turais — tourist
fearann (m) — land
fearg (f) — anger
feasgar (m) — evening
fèath-nan-eun — absolute calm
fèileadh (m) — kilt
a' feitheamh — waiting
feòil (f) — flesh, meat
a' feuchainn — trying
feum (m) — need, want, use
feur (m) — grass
feusag (f) — beard
fhathast — still, yet
an Fhraing (f) — France
fiacaill (f) — tooth
fiach (m) — worth
fiadh (m) — deer

D

fiadhaich — wild
fial(aidh) — liberal, generous
a' fighe — knitting
fileanta — fluent
filidh (m) — poet
fiodh (m) — wood
fiodhall (f) — fiddle
fìon (m) — wine
fios (m) — knowledge
fireannach (m) — male
fìrinn (f) — truth
fitheach (m) — raven
fliuch — wet
flùr (m) — flower
fo — below, under
fodha — underneath
foghar (m) — autumn
fòghlam (m) — learning, education
fòghnan (m) — thistle
foighidinn (f) — patience
fois (f) — peace, tranquility
for-sheòmar (m) — vestibule, hall
fosgailte — open
a' fosgladh — opening
fraoch (m) — heather
fras (f) — shower
a' freagairt — answering
freagarrach — suitable
freumh (m) — blade (of grass),
                                root
fuachd (f) — cold
a' fuadachadh — dispersing
a' fuaigheal — sewing
fuaim (m/f) — noise, sound
fuaimneach — noisy
fuar — cold
fuil (f) — blood
a' fuiling — feeling
a' fuine — baking
a' fuireach(d) — staying
furasda — easy

G
a' gabhail — taking
gach — each

a' gàgail — cackling
gaineamh (f) — sand
gainnead (m) — scarcity
gàirdean (m) — arm
gàire (f) — laughter
a' gàireachdainn — laughing
gamhlas (m) — envy, hatred
gann — scarce
gaol (m) — love
gaoth (f) — wind
garbh — rough
gàrradh (m) — garden
gasda — good, worthy
gèadh (m/f) — goose
geal — white
gealach (f) — moon
gealbhonn (m) — sparrow
a' gealladh — promising
gealltanach — promising
geamhradh (m) — winter
a' gearan — complaining
an Gearasdan — Fort William
a' gearradh — cutting
a' gèilleadh — yielding
geug (f) — branch
a' geumnaich — lowing
geur — sharp, keen
a' Ghàidhealtachd — the Highlands
a' Ghalltachd — the Lowlands
a' Ghearmailt — Germany
a ghnàth — ever, always
a' Ghrèig — Greece
gille (m) — young man
ginealach (m) — generation
giuthas (m) — pine
a' giùlan — carrying
a' glacadh — catching, seizing
glan — clean
a' glanadh — cleaning
a' glasadh — locking
Glaschu — Glasgow
glè — very
gleann (m) — glen
a' gleidheadh — keeping,
                              preserving

gleus (m/f) — key (in music)
glic — wise
gliocas (m) — wisdom
gloine (f) — glass
a' gluasad — moving
glùn (m) — knee
gnog (m) — knock
a' gnogadh — knocking
gnothach (m) — business, matter
gò (m) — deceit
gob (m) — beak
gobag (f) — dog-fish
gobhainn (m) — blacksmith
gobhal (m) — fork
gobhar (f) — goat
gobhlan (m) — swallow
a' goil — boiling
goirid — short
goirt — sore, painful
gòrach — foolish, daft
gort (f) — famine, scarcity, pain
gràdh (m) — love
gràs (m) — grace
greiseag — a while
greusaiche (m) — shoemaker
grian (f) — sun
gruagach (f) — maiden
gruaidh (f) — cheek
gruaim (f) — gloom, sorrow
gruamach — gloomy
gual (m) — coal
gualann (f) — shoulder
guga (m) — gannet, solan goose
gu leòr — plenty, enough
a' gul — weeping
gunna (m/f) — gun
gus — to, until
guth (m) — voice

H
na Hearadh — Harris
Hiort — St. Kilda

I
I — Iona
iall (f) — strap, thong
ialtag (f) — bat
iar — west
iarmailt (f) — sky, heavens
ag iarnachadh — ironing
ag iarraidh — asking, wanting
iarann (m) — iron
iasg (m) — fish
ag iasgach — fishing
iasgair (m) — fisherman
Ile — Islay
ìm (m) — butter
Inbhir Nis — Inverness
Inbhir Uig — Wick
na h-Innseachan — The Indies,
                              India
inntinn (f) — mind, spirit
inntinn-tharraingeach — interesting
iochd (f) — mercy
iochdmhor — merciful
ìoc-shlàint (f) — cure, remedy
iolach (f) — shout
iolair (f) — eagle
iomadh — many a
iomallach — distant, remote
iomradh (m) — report
iongantas (m) — surprise
iongna (f) — nail
iongnadh (m) — surprise.
ag ionnsachadh — learning,
   studying, training
a dh'ionnsaigh — towards
ìosal — low
isean (m) — chicken
ite (f) — feather
itealan (m) — aeroplane
iuchair (f) — key
iùl-chairt (f) — map, chart

L
là (m) — day
a' labhairt — speaking

ladarna — impertinent, impudent
lag — weak
lag-inntinneach — weak-minded
lagh (m) — law
làidir — strong
a' laighe — lying
làir (f) — mare
làithean-saora — holidays
làmh (f) — hand
làmpa (m) — lamp
làn — full
a' langanaich — bellowing
lann (f) — blade (of knife, etc.)
laoch (m) — hero
laogh (m) — calf
làr (m) — floor
làrach (f) — site, ruin
a' lasadh — lighting, burning
lasrrach — ablaze, aflame
le — by, with
lèabag (f) — flounder
leabaidh (f) — bed
leabhar (m) — book
leabhar-iùil — guide-book
leabhar-lann (m) — library
leanabh (m) — child, infant
a' leantainn — following
leasan (m) — lesson
a' leigeil — letting
leigheas (m) — cure, medicine
lèine (f) — shirt
leisg — lazy
leisgeul (m) — excuse
a leithid — the like
Leòdhas — Lewis
Leòdhasach — Lewisman
leòmhann (m) — lion
a' leònadh — wounding, hurting
gu leòr — enough, plenty
leth — half
leth-uair — half-hour
leug (f) — jewel, precious stone
a' leughadh — reading
a' leum — jumping

lighiche (m) — physician, doctor
linn (f) — century, pool
a' lìonadh — pouring, filling
lionn (m) — beer
lite (f) — porridge
litir (f) — letter
loch (m/f) — loch
Lochlann — Norway
lòchran (m) — torch
lom — bare
lòn (m) — meadow, marsh
lon-dubh (m) — blackbird
long (f) — ship
a' lorg — tracing
luachair (f) — reed, rush
luachmhor — valuable
luasganach — swinging, tossing,
            rocking
luath — swift, fast
luathas (m) — speed, swiftness
luch (f) — mouse
lùchairt (f) — palace
luchd — people
luideag (f) — rag
lus (m) — flower, vegetable

M
mac (m) — son
a-mach — out(wards)
machair (f) — coastal plain
mac-meanmna — imagination
mac-talla — echo
madadh (m) — wolf
madainn (f) — morning
maighdean (f) — maiden
maighstir(-sgoile) —
            (school)master
màileid (f) — case
maille ri — together with
a-màireach — tomorrow
maiseach — beautiful, fair
maitheas (m) — goodness
mall — slow
maol — bald

92

marag (f) — black pudding
marbh — dead
a' marbhadh — killing
mas e do thoil/ur toil e — please
math — good
màthair (f) — mother
meadhon (m) — middle
meadhon-là — mid-day
meadhon-oidhche — midnight
a' mealladh — deceiving, cheating
meanbh — small, wiry
meanbh-chuileag (f) — midge
meas (m) — respect
measail — respectful
meatag (f) — glove
a' mèilich — bleating
a' meudachadh — increasing
meur (m) — finger, branch
a-mhàin — only
a' Mhanachainn — Beauly
a' miagail — mewing
mias (f) — basin
mì-chomhfhurtail — uncomfortable
mì-fhortanach — unfortunate
mil (f) — honey
milis — sweet
mìlsean — sweets
mì-mhodhail — impolite
minig — frequently
ministear (m) — minister
mionaid (f) — minute
mìos (m) — month
misg(each) — drunk
mì-stòlda — restless, fidgety
moch — early
modhail — polite
mòine (f) — peat
mòinteach (f) — mountain, moor
a' moladh — praising
monadh (m) — moor
mòr — big, great
mòran — much, many, a lot
a' mothachadh — noticing
muc (f) — pig

a-muigh — outside
Muile — Mull
muileann (m) — mill
muillear (m) — miller
muinntir (f) — people
muir (f) — sea
mu — about
mullach (m) — summit, roof, top
mun/mus — before (conj.)

N
nàbaidh (m) — neighbour
na naidheachdan — the news
nàire (f) — shame
nàmh(aid) (m) — enemy
nathair (f) — serpent, snake
nead (m) — nest
nèamh (m) — heaven, sky
neart (m) — strength
neo-àbhaisteach — unusual
neo-chiontach — innocent
neo-chumanta — uncommon
neòinean (m) — daisy
neònach — strange
neul (m) — cloud
nì (m) — thing
a' nighe — washing
nighean (f) — girl, daughter
nise/a-nis — now
no — or
a-nochd — tonight
a' nochdadh — appearing
Nollaig (f) — Christmas
nota (m) — pound, note
nuadh — new, novel

O
obair (f) — work
ag obair — working
Obaireadhain — Aberdeen
an t-Oban — Oban
obann — sudden
gu h-obann — suddenly
òg — young

òganach (m) — youth
oidhche (f) — night
oidhearp (f) — effort, attempt
òigear (m) — youth
òigridh (f) — youth
            (opposite of age)
oileanach (m) — student
oilthigh (m) — university
oir — because
òirleach (m) — inch
oirthir (f) — boundary, coast, limit
oisinn (f) — corner, nook
ag òl — drinking
an Olaind — Holland
olc — evil, bad
ollamh (m) — professor
òr (m) — gold
òraid (f) — speech
òran (m) — song
òrd (m) — hammer
ag òrdachadh — ordering
òrdag (f) — toe, finger
òrdag mhòr — big toe, thumb
òrdugh (m) — order
ospadal (m) — hospital

P

a' pàigheadh — paying
pàipear (m) — paper
pàipear-naidheachd — newspaper
pàisd (m/f) — child
pàrantan — parents
partan (m) — crab
pathadh (m) — thirst
Peairt — Perth
peann (m) — pen
pian (f) — pain
pìob (f) — pipe
pìob-mhòr — bagpipes
pìobair (m) — piper
piobar = peabar (m) — pepper
piseag (f) — kitten
piuthar (f) — sister
planaid (f) — planet

poca (m) — bag
pòg (f) — kiss
a' pògadh — kissing
poit (f) — pot
poileasman — policeman
port (m) — port, harbour
a' pòsadh — marrying
pòsda — married
preas (m) — bush
a' priobadh — winking
prìosan (m) — prison
prìosanach (m) — prisoner
prìs (f) — price
pùdar (m) — powder
pùnnd Sasannach (m) — pound
                           sterling

R

ag ràdh — saying
raineach (f) — bracken, fern
ràmh (m) — oar
rann (f) — verse
a' rannsachadh — searching
an-raoir — last night
raon (f) — field, meadow
rathad (m) — road
reamhar — stout, fat
a' reic — selling
reiceadair — salesman
reothadh (m) — frost
reul (f) — star
riamh — ever
riaghaltas (m) — kingdom
a' riarachadh — satisfying
riaraichte — satisfied
rìbhinn (f) — girl, maid
rìgh (m) — king
rionnag (f) — star
a-rithist — again
ro — too
ro — before (prep)
rodan (m) — rat
roghainn (m) — choice

roimhe — before (adv.)
an Roinn Eòrpa — Europe
ròn (m) — seal
ròp(a) (m) — rope
ròs (m) — rose
rosg (m) — prose
rothair (m) — bicycle
ruadh — red
a' ruamhar — digging
rud (m) — thing
rudan milis — sweets
rugadh mi — I was born
a' ruigheachd — reaching
a' ruigsinn
rùisgte — bare, naked, stripped
Ruisia — Russia
a' ruith — running
rùm (m) — room
rùm-cadail — bedroom
a' rùsgadh — stripping, peeling

S
a' sabaid — fighting
Sàbaid (f) — Sabbath
sàbh (m) — saw
sàbhailte — safe
sabhal (m) — barn
sagart (m) — priest
saighdear (m) — soldier
sàil (f) — heel
salach — dirty
a' salachadh — dirtying
salann (m) — salt
sàmhach — quiet, silent
sàmhchair (f) — quietness, silence
samhla(dh) (m) — ghost, apparition
samhradh (m) — summer
sanas (m) — advertisement,
            warning
saoghal (m) — world
a' saoilsinn — thinking
saor — free
saor (m) — carpenter
saorsa (f) — freedom

saothair (f) — toil
sàsaichte — satisfied, sated
seabhag (f) — falcon, hawk
seachdain (f) — week
seagal (m) — rye
a' sealg — hunting
sealgair (m) — hunter
sealladh (m) — sight, view
a' sealltainn — looking
sean(n) — old
seanair (m) — grandfather
seanfhacal (m) — proverb
seanmhair (f) — grandmother
searbh — bitter
a' seargadh — withering
a' searmonachadh — preaching
a' seasamh — standing
seasgair — comfortable
sèathair (m) — chair
seillean (m) — bee
a' seinn — singing
seinneadair (m) — singer
sèist (m) — chorus
seòl (m) — sail
a' seòladh — sailing
seòladair (m) — sailor
seòmar (m) — room, chamber
seòrsa (m) — kind, sort
sgadan (m) — herring
sgàil (f) — shade, shadow
sgàth (m) — sake, shade,
            protection
sgàthan (m) — mirror
sgeilp (f) — shelf
sgeul (m) — story
sgeulachd (f) — story
sgian (f) — knife
sgiath (f) — wing, shield
sgillinn (f) — penny
sgioba (m/f) — crew
sgiobair (m) — skipper
sgiobalta — neat, active
a' sgioblachadh — tidying
sgìre(achd) (f) — parish

sgìth — tired
sglèat (m) — slate
sgòd (m) — piece of cloth
sgoil (f) — school
sgoilear (m) — scholar, pupil
sgoilearachd (f) — schooling
sgriachail (f) — screech
sgrìob (f) — trip, journey
a' sgrìobadh — scraping
a' sgrìobhadh — writing
sgrìobhaiche (m) — writer
shìos — down below
shuas — above (adv.)
a' sileadh — pouring, dripping
silidh — jam
similear (m) — chimney
a' sìneadh — stretching
sinnsear (f) — ancestor, ancestry
sìoda (m) — silk,
sionnach (m) — fox
siorrachd   ) (f) — shire, county
siorramachd)
sìos — down(wards)
sìth (f) — peace
sìtheil — peaceful
a' siubhal — travelling
siùcar (m) — sugar
siùcairean — sweets
slàinte (f) — health
slàn — healthy
slat (f) — rod, stick
sliabh (m) — mountain, slope
sliasaid (f) — thigh
slige (f) — shell
slighe (f) — way, road
slochd (m) — pit
sluagh (m) — people, host
a' slugadh — swallowing
a' smaoin(t)eachadh) — thinking
a' smuain(t)eachadh)
smeòrach (f) — thrush
smuain (f) — thought
smùid (m) — smoke, fumes
a' snàmh — swimming

snàthad (f) — needle
sneachd (m) — snow
snodha-gàire (m) — smile
sòbhrach (f), sòbhrag — primrose
socrach - comfortable
soilleir — clear, bright
soilleireachd (f) — clarity,
                       clearness
a' soillseadh — shining
soisgeul (m) — gospel
soisgeulach (m) — missionary
soitheach (m) — vessel, dish
sòlas (m) — joy, delight
solas (m) — light
sonas (m) — good fortune
sònraichte — special
soraidh (f) — farewell
spaid (f) — spade
spàin (f) — spoon
an Spàinn — Spain
speuclairean — glasses, spectacles
speur (m) — sky, heavens
spiorad (m) — spirit
spòg (f) — paw, claw
sràid (f) — street
sreang (f) — string
sròn (f) — nose
Sruighle — Stirling
sruth (m) — stream
stàball (m) — stable
staid (f) — condition, state
staidhear (f) — stair
stairsneach (f) — threshold
na Stàitean Aonaichte — USA
stamag (f) — stomach
a-steach — in(wards)
steàrnan (m) — tern
a' stèidheachadh — planting
Steòrnabhagh — Stornoway
a-staigh — inside
stiùireadair (m) — helmsman
a' stiùireadh — directing, guiding,
                    steering
stocainn (f) — stocking

stoirm (f) — storm
strùpag (f) — cup of tea
suaicheantas (m) — badge
an t-Suain — Sweden
suas — up(wards)
a' suathadh — wiping
subailte — supple
a' suidhe — sitting
suidheachadh (m) — situation
suidheachan (m) — seat, bench
suidhichte — situated
sùil (f) — eye
suipear (f) — supper
sùith (m) — soot
sùlair (m) — gannet, solan goose
sùnndach — cheerful

T
a' tachairt — happening
tachartas (m) — event
a' tadhal — visiting
taghadh (m) — election, choice
taibhse (f) — ghost
a' taiceadh — supporting
tàillear (m) — tailor
taing (f) — thanks
taingeil — grateful, thankful
tàir (f) — contempt
an Tairbeart — Tarbert
tàirneanach (m) — thunder
taitneach — pleasant
a' tàladh — enticing, luring
talamh (m/f) — ground, earth
talla (m) — hall
talmhaidh — worldly, earthy
a' tàmh — staying, dwelling
tana — thin
a' tanachadh — thinning
taobh (m) — side, coast
tapais (m) — carpet
tarag (f) — tack, nail
tarbh (m) — bull
a' tarraing — pulling
tarann (m) — nail

tè — woman, one
tea — tea
a' teachd — coming
teagamh (m) — doubt
a' teagasg — teaching
teaghlach (m) — family
teallach (m) — hearth, anvil
teanga (f) — tongue, language
tearc — scarce, rare
a' teicheadh — escaping
teine (m) — fire
teth — hot
thairis air — over, across
thall — beyond
thall thairis — abroad
thar — over, across
theab mi — I almost
mu thimcheall — around, about
thogadh mi — I was brought up
tìde (m) — weather, time
taigh (m) — house
taigh-eiridinn — hospital
taigh-òsda — hotel
taigh-solais — lighthouse
a' tighinn — coming
a' tilgeil — throwing
a' tilleadh — returning
timcheall air — around
tinn — sick
tinneas (m) — sickness
tiomnadh (m) — testament,
                evidence
Tiomnadh Nuadh — New
                    Testament
Seann Tiomnadh — Old Testament
a' tional — gathering
a' tionndadh — turning
tioram — dry
a' tioramachadh — drying
tìr (f) — land, country
tlachdmhor — pleasant
tobar (m) — well
a' togail — lifting, building
togalach (m) — building

toigheach — careful, fond
toileachas (m) — contentment
toilichte — pleased, content
a' toirt — giving, bringing
a' toirt sùla — glancing
toiseach (m) — beginning
a' tòiseachadh — beginning, starting
toit (f) — smoke
toiteag (f)) — cigarette
toitean (m)) —
tonn (m) — wave
tràigh (f) — shore, beach
trang — busy
tràth — early
a' treabhadh — ploughing
treubh (f) — tribe
treun — brave
trillsean (m) — torch
tro — through
tròcair (f) — blessing, mercy
troigh (f) — foot (12 in.)
trom — heavy
truasail — compassionate
truinnsear (m) — plate
tuath — north
tuathanach (m) — farmer
tuathanachas (m) — farm
tughadh (m) — thatch
tuigse (f) ⎫
a' tuigsinn ⎭ — understanding
tuil (f) — flood

tuilleadh — more
a' tuiteam — falling
tunnag (f) — duck
tùs (m) — origin
air t(h)ùs — originally

U

uachdar (m) — surface
uair (f) — hour
uamh (f) — cave
uamhas (m) — terror, dread
uamhasach — terrible, dreadful
uan (m) — lamb
uasal — noble, gentle
ubhal (m) — apple
ag uidheamachadh — equipping
Uibhist — Uist
uile — all
ùine (f) — time
uinneag (f) — window
an uiridh — last year
uiseag (f) — lark
uisge (m) — water, rain
uisge-beatha — whisky
ag ullachadh — preparing
ùpraid (f) — confusion, dispute
ùr — new
ag ùrachadh — re-newing
ùrlar (m) — floor
urram (m) — respect
urramach (m) — reverend

Days of the Week

Diluain — Monday	Diardaoin — Thursday	Di-Dòmhnaich ⎫
Dimàirt — Tuesday	Dihaoine — Friday	Là na Sàbaid ⎭ — Sunday
Diciadain — Wednesday	Disathuirn — Saturday	

Months of the Year

am Faoilteach — Jan.	an t-Ogmhìos — Jun.	an t-Samhain — Nov.
an Gearran — Feb.	an t-Iuchair — Jul.	an Dùbhlachd ⎫ — Dec
am Màirt — Mar.	an Lùnasdal — Aug.	an Dùdlachd ⎭
an Giblean — Apr.	an t-Sultuin — Sep.	
am Màigh — May	an Dàmhair — Oct.	

Christian Names

Ailean	— Alan	Griogair	— Gregor	Catrìona	— Catherine
Alasdair	— Alexander	Iain	— John	Diorbhail	— Dorothy
Aonghas	— Angus	Mìcheil	— Michael	Ealasaid	— Elizabeth
Cailean	— Colin	Niall	— Neil	Eilidh	— Helen
Calum	— Malcolm	Pàdraig	— Patrick	Fionnaghal	— Flora
Coinneach	— Kenneth	Peadar	— Peter	Giorsal	— Grace
Daibhidh	— David	Raibeart	— Robert	Iseabail	— Isobel
Dòmhnall	— Donald	Ruairidh	— Roderick	Mairead	— Margaret
Eachann	— Hector	Seòras	— George	Màiri	— Mary
Eanraig	— Henry	Seumas	— James	Màili	— May
Eòghann	— Ewan	Somhairle	— Samuel	Marsaili	— Marjory
Fearchar	— Farquhar	Teàrlach	— Charles	Mòr, Mòrag	— Sarah
Fearghas	— Fergus	Tòmas	— Thomas	Seònaid	— Janet
Fionnlagh	— Finlay	Uilleam	— William	Sìlis	— Sheila,
Foirbeas	— Forbes	Uisdean	— Hugh		Julia
Friseil	— Fraser	Anna	— Ann	Sìne	—Jean,Sheena
Gòrdan	— Gordon	Cairistìona	— Christina	Una	— Winifred

Surnames

Caimbeul	— Campbell	MacFhearchair	— Farquharson
Camran }	— Cameron	MacFhionghuin	— Mackinnon
Camshron }		MacGhill'Anndrais	— Anderson
Dòmhnallach	— MacDonald	MacGhill'Eathain	— MacLean
Frisealach	— Fraser	MacGriogair	— MacGregor
Foirbeis	— Forbes	MacIomhair	— MacIver
Gòrdan	— Gordon	MacLeòid	— MacLeod
Grannd	— Grant	MacNèill	— MacNeil
Greumach	— Graham	MacPhàrlain	— MacFarlane
MacAmhlaidh	— MacAulay	Mac a' phearsain	— Macpherson
MacAoidh	— Mackay	MacRath	— MacRae
MacArtair	— MacArthur	Mac an Rothaich	— Munro
MacCoinnich	— Mackenzie	Mac an t-sagairt	— Mactaggart
MacCruimein	— MacCrimmon	Mac an t-saoir	— Mackintyre
MacDhòmhnaill	— MacDonald	MacThòmais	— Thomson
MacDhonnachaidh	— Robertson	Mac an tòisich	— Mackintosh
	MacConnachie	Rothach	— Munro
		Urchard(ain)	— Urquhart

In this section a word which is given only in its basic form is completely regular in its formation i.e. a masculine word forms its genitive singular by adding an **i** after the last broad vowel and its nominative/accusative plural (a) in the case of one or two syllable words, by using the same form as the genitive singular, or (b) in the case of most other words, by adding — **(e)an** to the nominative singular.

A feminine word forms its genitive singular as a masculine word but with the addition of a final **e** in one-syllable words, and its plural by the addition of — **(e)an** to the nominative singular (unaspirated).

	Nom.	Gen.Sing.	Nom.Plural
e.g. Masc. (1 or 2 syllable)	balach	balaich	balaich
Masc. (other words)	cladach	cladaich	cladaichean
Fem.	spòg	spòige	spògan

Where a word varies from this pattern, the gen.sing. or nom.plur. or both are given. Where a word is completely irregular, it is declined in the nom., gen. and dat., sing. and plur.

Where necessary, the following abbreviations are used:

G — genitive singular   N — nominative plural

A

Aberdeen — Obaireadhain

ablaze — lasrach

above — os cionn (prep.)
    shuas (adv.)

about — mu

abroad — thall thairis

absolute calm — fèath-nan-eun

account — cùnntas (m)

across — thar (+gen.)
    thairis air (+dàt)

active — sgiobalta

admitting — ag aideachadh

advertisement — sanas (m)
    N sanasan

advice — comhairle (f)

aeroplane — itealan (m)

again — a-rìs, a-rithis, a-rithist

age — aois (f)

aged — aosda

agreeing — ag aontachadh

air — adhar (m)

alive — beò

all — uile, a h-uile

I almost — theab mi (See Lesson 45)

along with — còmhla ri, cuide ri

already — cheana

also — cuideachd

always — an còmhnaidh
    daonnan
    a ghnàth

ancestor ⎤
ancestry ⎦ — sinnsear (f) G sinnsre
    N sinnsearan

anchor — acair (f)
    G acrach
    N acraichean

anger — fearg (f) G feirge

animal — beathach (m)

ankle — aobrann (m)
    N aobrainnean

announcing — ag ainmeachadh

answering — a' freagairt
anvil — teallach (m)
  N teallaichean
apparition — bòcan (m)
  samhla(dh) (m)
appearing — a' nochdadh
apple — ubhal (m) N ubhlan
Applecross — A' Chomraich
approaching — a' dlùth(ach)adh
Argyll — Earraghaidheal
arithmetic — cùnntas (m)
arm — gàirdean (m)
  G gàirdein
  N gàirdeanan
army — arm (m), armailt (m)
around — mun cuairt (adv.)
  timcheall air (prep.)
  mu thimcheall (+ gen.)
asking — ag iarraidh,
  a' faighneachd
asking a question — a' cur ceist
at — aig
Atlantic — an Cuan Siar
attempt — oidhearp (f)
Australia — Astràilia
autumn — foghar (m)

B
back — cùl (m) N cùiltean
  druim (m)
  N druim drommanan
  G droma dhrommanan
  D druim drommanan
bad — dona, droch, olc
badge — suaicheantas (m)
bag — poca (m) N pocannan
bagpipes — pìob mhòr (f)
baking — a' fuine
bald — maol
ball — ball (m) G/N buill
bank — bruach (f) N bruaichean
bard — bàrd (m)
bare — lom (luime), rùisgte

barn — sabhal (m) N sabhalan/
  saibhlean
barking — a' comhartaich
barley — eòrna (m)
Barra — Barraigh
basin — mias (f) G mèise
basket — cliabh (m) G/N clèibh
  bascaid (f)
bat — ialtag (f)
battle — batail
  blàr (m)
beach — tràigh (f) G tràghad
beak — gob (m) G/N guib
beard — feusag (f)
bearing — a' breith
beast — biasd (f), bèist (f)
Beauly — A' Mhanachainn
beautiful — bòidheach, brèagha,
  maiseach
because — oir
becoming — a' fàs
bed — leabaidh (f) G leapach
  N leapaichean
bedroom — rùm-cadail (m)
  seòmar-cadail (m)
bee — seillean G seillein
  N seilleanan
beer — lionn, leann (m)
beetle — daolag (f)
before — ro (prep.)
  roimhe (adv.)
  mun/mus (conj.)
beginning — toiseach (m)
  a' tòiseachadh
behind — air cùlaibh (+ gen.)
belief — creideamh (m)
believing — a' creidsinn
bell — clag (f) G/N cluig
bellowing — a' langanaich
below — fo (prep.)
  shìos (adv.)
bench — suidheachan (m)
bending — a' cromadh
between — eadar (+ acc.)

101

beyond — thall
Bible — Bìoball (m)
bicycle — rothair (m)
big — mòr (mò, motha)
big toe — òrdag mhòr (f)
birch — beithe (f)
bird — eun (m) G/N eòin
biscuit — brioscaid (f)
bitter — searbh (seirbh)
black — dubh
blackbird — lon-dubh (m)
blackcock — coileach dubh (m)
black pudding — marag (f)
blacksmith — gobha (m)
      N goibhnean
blade (of grass) — freumh (m)
      G freumha
      N freumha
blade (of knife) — lann (f)
      G loinne
bleating — a' mèilich
blessing — a' beannachadh
      beannachd (f)
      tròcair (f)
blind — dall (doille)
blood — fuil (f) G fola
boasting — bragadaich
boat — bàta (m) N bàtaichean
      eathar (m) N eathraichean
body — corp (m) G/N cuirp
bog cotton — canach (f)
boiling — a' goil
      a' bruich
bone — cnàmh (f)
bonnet — boineid (f)
book — leabhar (m)
      N leabhraichean
guide book — leabhar-iùil
born, I was — rugadh mi
bottle — botal (m)
boundary — crìoch (f) G crìche
      oirthir (f)
box — bocsa (m) N bocsaichean
boy — balach (m)

bracken — raineach (f)
branch — geug (f), G gèige
brave — calma, treun
bread — aran, (m)
breakfast — bracaist (f)
      dìot-maidne (f)
breaking — a' briseadh
breast — broilleach (m)
      N broillichean
breath — anail (f) G analach
bridge — drochaid (f)
bright — soilleir
bringing — a' toirt
bringing up — a' togail
brother — bràthair (m) G bràthar
      N bràithrean
brother-in-law — bràthair-cèile
brown — donn
brought up, I was — thogadh mi
bucket — cuinneag (f)
building — togalach (m)
      N toglaichean
      a' togail
bull — tarbh (m)
burden — eallach (f)
      (m. in W. Ross)
burial ground — cladh (m)
burn — allt (m) G/N uillt
burning — a' lasadh
bursting — a' brùchdadh
burying — ag adhlacadh
bush — preas (m) G pris
      N preasan
business — gnothach (m)
busy — trang
butter — ìm (m) G ime
buyer — ceannaiche (m)
buying — a' ceannachd
buzzard — clamhan (m) clamhanan
by — le
byre — bàthaich (m)

C
cackling — a' gàgail
cairn — càrn (m) G/N cùirn

cake — cèic (m)
calf — (animal) laogh (m)
(of leg) calpa (m)
calm — ciùin
candle — coinneal (f) N coinnlean
capital — ceanna-bhaile (m)
car — càr (m)
care — cùram (m) N cùraman
careful — cùramach, toigheach
carpenter — saor (m)
carpet — tapais (m)
carrying — a' breith, a' giùlan
case — (situation) càs (m) N càsan
màileid (f)
castle — caisteal (m) caistealan
cat — cat (m)
catching — a' glacadh
catching up — a' breith air
catechism — ceasnachadh (m)
cattle — crodh (m) G cruidh
cave — uamh (f) N uamhannan
century — linn (f) N linntean
certain — cinnteach
certainty — cinnt (f)
chaffinch — breacan-beithe (m)
chair — cathair (f) G cathrach
N cathraichean
sèathair (m)
chairman — fear-an-taighe (m)
fear-na-cathrach
chamber — seòmar (m)
N seòmraichean
chance — cothrom (m) cothroman
change — atharrachadh (m)
changing — ag atharrachadh,
a' caochladh
chanter — feadan (m) N feadanan
chart — iùl-chairt (m)
cheating — a' mealladh
cheek — gruaidh (f)
cheerful — sùnndach
cheese — càise (m)
chicken — isean (m)
G isein
N iseanan

child — leanabh (m/f) G leinibh
N leanaban
pàisd (m/f) N pàisdean
chimney — similear (m)
choice — roghainn (m)
N roghainnean
taghadh (m)
choir — còisir (f)
chorus — sèist (m) N sèistean
Christmas — Nollaig (f)
church — eaglais (f)
cigarette — toiteag (f)
toitean (m) N toiteanan
circle — cuairt (f)
city — baile-mòr (m)
claiming — ag agairt
clarity — soilleireachd (f)
clarsach — clàrsach (m)
N clàrsaichean
claw — iongna (f) G ingne
N ingnean
spòg (f)
clean — glan
cleaning — a' glanadh
clear — soilleir
climbing — a' dìreadh
closing — a' dùnadh
cloth (piece of) — sgòd (m)
N sgòdan
clothes — aodach (m)
N aodaichean
cloud — neul (m) G/N neòil
coal — gual (m)
coast — taobh (m), oirthir (f)
coat — còta (m) N còtaichean
cockerel — coileach (m)
coffee — cofaidh
coin — bonn (m) G/N buinn
cold — (adj.) fuar
(noun) fuachd (f),
cnatan (m)
college — colaisd(e) (f)
comb — cìr (f)
comfortable — comhfhurtail,
seasgair, socrach

coming — a' tighinn, a' teachd
common — cumanta
communist — comannach (m)
companion — companach (m)
company — cuideachd
co-chomann (m)
buidheann (f)
G buidhne
N buidhnean
in comparison to — an coimeas ri
compassionate — truasail
competition — co-fharpais (f)
complaining — a' gearan
condition — staid (f), cor (m)
confusion — ùpraid (f)
congregation — coimhthional (m)
contemporary — co-aoiseach
contempt — tàir (f)
content — toilichte
contentment — toileachas (m)
conversing — a' còmhradh
conversation — còmhradh (m)
cooking — còcaireachd (f)
corrie — coire (f) N coireachan
corner — oisinn (f) G oisne
N oisnean
council — comhairle (f)
counter — cunntair (m)
counting — cùnntas (m)
country — dùthaich (f) G dùthcha
N dùthchannan
tìr (f)
county — siorrachd (f),
siorramachd (f)
court — cùirt (f)
courteous — coibhneil
crab — partan (m) N partanan
creature — creutair (m)
creed — creideamh (m)
crew — sgioba (m/f)
croft — croit (f)
crofter — croitear (m) N croitearan
crow — feannag (f)
crown — crùn (m) N crùintean

cruel — cruaidh
cuckoo — cuthag (f)
cup — cupan (m)
cup of tea — strùpag (f)
cupboard — preas(a) (m)
cure — ìoc-shlàint (f), leigheas (m)
G leighis N leigheasan
curtain — cùirtear (m) N cùirtearan
cutting — a' gearradh

D

daft — faoin, gòrach
daisy — neòinean (m)
N neòineanan
dancing — a' dannsadh
dandelion — beàrnan-Brìde (m)
danger — cunnart (m) N cunnartan
dangerous — cunnartach
dark — dorcha
darkness — dorchadas (m)
daughter — nighean (f) G nighinn
dawn — camhanach (f)
day — là (m) N làithean
dead — marbh
dear — daor
death — bàs (m)
deceit — gò (m)
deceiving — a' mealladh
deep — domhainn
deer — fiadh (m) G/N fèidh
deer, roe — earb (f)
delight — sòlas (m)
dentist — fear nam fiacaill, fiaclair
denying — a' diùltadh
desert — fàsach (m) N fàsaichean
despite — a dh'aindeoin
dew — driùchd (m)
dictionary — faclair (m)
different (from) —
eadar-dhealaichte(ri)
digging — a' ruamhar
dinner — dìnnear (f) G dìnnearach
directing — a' stiùireadh
director — fear-stiùiridh

dirk — biodag (f)
dirty — salach
dirtying — a' salach(adh)
discord — aimhreit (f)
dish — soitheach (m)
    N soithichean
dispersing — a' fuadachadh
dispute — ùpraid (f)
distance — astar (m) N astaran
       farsaingeachd (f)
distant — cian, iomallach, farsaing
distress — airc (f)
district — ceàrn(aidh) (f)
ditch — dìg (f) N dìgeachan
doctor — dotair (m), lighiche (m)
dog — cù (m) G/N coin G.Pl. chon
dog-fish — gobag (f)
doing — a' dèanamh
door — doras (m) N dorsan
doubt — teagamh (m)
    N teagamhan
dove — calman (m) N calmanan
down — sìos, shìos
dread — uamhas (m) N uamhasan
dreadful — uamhasach
dream — aisling (f)
    bruadar (m) N bruadaran
drink — deoch (f)
    N deoch deochan(nan)
    G dighe dheochan(nan)
    D deoch deochan(nan)
drinking — ag òl
dripping — a' sileadh
drowning — a' bàthadh
drum — druma (f) N drumachan
    or drumaichean
drunk — misg(each)
dry — tioram
drying — a' tioramachadh
duck — tunnag (f)
duck, wild — crann-lach (f)
Dundee — Dun Deagh
dwelling — a' còmhnaidh
    a' tamh

dying — a' bàsachadh
    a' caochladh

E

each — gach
eagle — iolair
ear — cluas (f)
early — moch, tràth
earning — a' cosnadh
earth — talamh (m) G talaimh
      or talmhainn
    N talamhan
earthly — talmhaidh
east — ear
easy — furasda
echo — mac-talla (m)
Edinburgh — Dun Eideann
editor — fear-deasachaidh (m)
education — fòghlam (m)
effort — oidhearp (f) G oidhirp
Egypt — an Eiphit
election — taghadh (m)
electricity — dealan (m)
empty — falamh
end — deireadh (m) N deiridhean
enemy — nàmh(aid) (m)
    G nàmhad N nàimhdean
England — Sasann
enough — gu leòr
enticing — a' tàladh
envelope — cèis (f)
envy — gamhlas (m)
equipping — ag uidheamachadh
escaping — a' teicheadh
Europe — An Roinn Eòrpa
even — eadhon
evening — feasgar (m)
    N feasgraichean
event — tachartas (m)
    N tachartasan
ever — a ghnàth, riamh, a chaoidh
evidence — fianais (f)
evil — olc
exam — deuchainn (f)

exceptionally — anabarrach
excuse — leisgeul (m)
       G leisgeil N leisgeulan
expensive — daor
eye — sùil (f) G sùla

F

face — aghaidh (f), aodann (f)
facing — an aghaidh (+gen.)
fair (haired) — bàn
faithful — dìleas
falcon — seabhag (f)
falling — a' tuiteam
fame — cliù (m)
family — teaghlach (m)
       N teaghlaichean
famine — gort (f)
famous — ainmeil
far (from) — fada (bh)o
farewell — soraidh (f)
farm — tuathanachas (m)
farmer — tuathanach (m)
fast — luath
fat — reamhar
fate — dàn (m)
father — athair (m) G athar
       N athraichean
fear — eagal (m)
feather — ite (f)
feeling — a' faireachdainn
       a' fuiling
female — boireannach (m)
fern — raineach (f)
ferry — aiseag (m) N aiseagan
ferry-boat — bàt-aiseig (m)
a few — feadhainn
fiddle — fiodhall (f) G fìdhle
       N fìdhlean
fidelity — dìlseachd (f)
fidgety — mì-stòlda
field — achadh (m) N achaidhean
     blàr (m)
     raon (f) N raointean

fighting — a' cogadh, a' sabaid
filling — a' lìonadh
finding — a' faighinn
finger — meur (m) G/N meòir
     òrdag (f)
finishing — a' crìochnachadh
fire — teine (m) N teintean
fireplace — àite-teine (m),
     cagailt (f)
fish — iasg (m) G èisg
     N iasgan
fisherman — iasgair (m)
fishing — ag iasgach
fist — dòrn (m) G/N dùirn
flesh — feòil (f) G feòla
flood — tuil (f)
floor — làr (m), ùrlar (m) N ùrlaran
flounder — lèabag (f)
flower — flùr (m) N flùraichean
     blàth (m) N blàthan
     lus (m) N lusan
fluent — fileanta
flute — feadag (f)
fly — cuileag (f)
fog — ceò (m) G/N ceòtha
following — a' leantainn
fond — toigheach
food — biadh (m) G bìdh
foolish — faoin, gòrach
foot — cas (f) G coise
     troigh (f)
foot-plough — cas-chrom (f)
football — ball-coise (m)
forehead — bathais (f)
foreigner — eilthireach (m)
forest — coille (f) N coilltean
forgetting — a'
     dìochuimhneachadh
fork — gobhal (m) N goibhlean
Fort William — An Gearasdan
forward — air adhart
fox — sionnach (m)
France — An Fhraing
free — saor

freedom — saorsa (f)
frequently — minig
friend — caraid (m) N càirdean
friendly — càirdeil
frost — reothadh (m)
full — làn

G

gannet — sùlair (m), guga (m)
garden — gàrradh (m)
        N gàrraidhean
gathering — a' cruinneachadh
                a' tional
generation — ginealach (m)
generous — fial(aidh)
gentle, noble — uasal (uaisle)
gentleman — duine-uasal (m)
Germany — A' Ghearmailt
getting — a' faighinn
ghost — bòcan (m)
        samhla(dh) (m)
        N samhlaidhean
        taibhse (f)
girl — caileag (f), cailin (f)
        nighean (see 'daughter')
giving — a' toirt
glancing — a' toirt sùla (air)
Glasgow — Glaschu
glass — gloine (f) N gloineachan
glasses — speuclairean
glen — gleann (m) G/N glinn
        Also N gleannan, gleanntan
gloom — gruaim (f)
gloomy — gruamach
glove — meatag (f)
goat — gobhar (f) G gobhair or
                goibhre
                N gobhair
God — Dia N Dia   diathan
        G Dhè or Dhia   dhia
        D Dia   diathan
going — a' dol
gold — òr (m)
good — math, gasda

goodness — maitheas (m)
good fortune — sonas (m)
        N sonasan
goose — gèadh (m/f) G/N geòidh
gospel — soisgeul (m)
grace — gràs (m) N gràsan
grand-father — seanair (m)
grand-mother — seanmhair (f)
        G seanmhar
        N seanmhairean
grass — feur (m) G/N feòir
great — mòr (mò, motha)
Greece — A' Ghrèig
ground — talamh (m)
grouse — cearc-fhraoich (f)
grove — doire (f) N doireachan
growing — a' fàs
guide-book — leabhar-iùil (m)
guiding — a' stiùireadh
guilt — ciont (m)
guilty — ciontach
gun — gunna (m/f)

H

hair — falt (m) G/N fuilt
half — leth
half-hour — leth-uair (f)
half-light — camhanach (f)
hall — talla (m) N tallachan
        for-sheòmar (m)
hamlet — clachan (m)
hammer — òrd (m) G/N ùird
hand — làmh (f)
hanging — a' crochadh (ri)
happening — a' tachairt
happiness — sonas (m) N sonasan
harbour — port (m) G/N puirt
hard — cruaidh
hardihood — cruadal (m)
hardship — càs (m)
harp — clàrsach (f)
        N clàrsaichean
Harris — Na Hearadh
harvest — buan (m)

harvesting — a' buain
haste — cabhag (f)
hat — ad (f)
hatred — gamhlas (m)
hawk — seabhag (m)
hazel — calltainn (m)
head — ceann (m) G/N cinn
health — slàinte (f)
healthy — fallain, slàn
heart — cridhe (m) N cridheachan
hearty — cridheil
hearth — cagailt (f)
      teallach (m)
      N teallaichean
hearing — claistneachd (f)
      a' cluinntinn
heather — fraoch (m)
heavens — iarmailt (f)
      speuran
      nèamhan
heavy — trom (truime)
heel — bonn (m) G/N buinn
      sàil (f) G sàl(ach)
helmsman — stiùireadair (m)
helping — a' còmhnadh
      a' cuideachadh
hen — cearc (f) G circe
hero — laoch (m)
herring — sgadan (m)
high — àrd
Highlands — A' Ghàidhealtachd
hill — cnoc (m) G/N cnuic
hind — eilid (f) N èildean
history — eachdraidh (m)
holding — a' cumail
holidays — làithean-saora
Holland — An Olaind
home — dachaigh (f)
home(wards) — dhachaigh
homesickness — cianalas (m)
honey — mil (f) G meala
horse — each (m) G/N eich
hospitable — aoidheil
hospital — taigh-eiridinn (m)
      ospadal (m)

host — fear-an-taighe (m)
      sluagh (m)
hot — teth (teotha)
hotel — taigh-òsda (m)
hour — uair (f) G uarach
house — taigh (m) G taighe
      N taighean
hunger — acras (m)
hunter — sealgair (m)
hunting — a' sealg
hurting — a' ciùrradh
      a' leònadh

I

ignorant — aineolach
ill — tinn
illness — tinneas (m) N tinneasan
imagination — mac-meanmna (m)
impatience — cion-foighidinn (m)
impertinent ⎫
          ⎬ — ladarna
impudent ⎭
impolite — mì-mhodhail
in — ann an
    anns
in(wards) — a-steach
inside — a-staigh
in-law — cèile, chèile
inch — òirleach (m)
increasing — a' meudachadh
indeed — gu dearbh, da-rìribh
India, The Indies — Na
          h-Innseachan
infant — leanabh (m/f) N leanaban
inheritance — dìleab (f)
injustice — ana-ceartas (m)
innocent — neo-chiontach
interesting — inntinn-tharraingeach
Inverness — Inbhir Nis
invitation — cuireadh (m)
      N cuiridhean
Iona — I
Ireland — Eireann (f)
iron — iarann (m)
ironing — ag iarnachadh
island — eilean (m) N eileanan

Islay — Ile
Italy — An Eadailt

J

jam — silidh
jewel — leug (f) G lèig
job — car (m) G cuir
journey — cuairt (f), sgrìob (f)
joy — sòlas (m)
jumping — a' leum
just — dìreach
just now — an-dràsda
justice — ceartas (m)

K

keen — geur
keen on — dèidheil air
keeper — cìobair (m)
keeping — a' cumail, a' gleidheadh
kestrel — clamhan-ruadh (m)
kettle — coire (f) N coireachan
key — iuchair (f) G iuchrach
            N iuchraichean
        gleus (m) (music)
kicking — a' breabadh
killing — a' marbhadh
kilt — fèileadh (m) G fèilidh
            N fèileachan
kind — coibhneil
kind — seòrsa (m) N seòrsachan
kindly — aoidheil
king — rìgh (m) N rìghrean
kingdom — riaghaltas (m)
kiss — pòg (f)
kissing — a' pògadh
kitten — piseag (f)
knee — glùn (m) N glùinean
knife — sgian (f) G sgeine
            N sgianan
            or sgeinean
knitting — a' fighe
knock — gnog (m) G gnuig
            N gnogan
knocking — a' gnogadh
knowledge — fios (m), eòlas (m)

L

lack — dìth (m)
ladder — fàradh (m) N fàraidhean
lady — bean-uasal (f)
lamb — uan (m)
lame — crùbach
lamp — làmpa (m)
land — tìr (f), dùthaich (f),
            fearann (m)
language — cainnt (f),
            cànain (f), teanga (f)
lark — uiseag (f)
last — mu dheireadh
at long last — mu dheireadh thall
last night — an-raoir
last year — anuiridh
late — anmoch, fadalach
laughing — a' gàireachdainn
laughter — gaire (f)
law — lagh (m) G lagha
            N laghannan
lawyer — fear-lagha (m)
lazy — leisg
leaf — duilleag (f)
learning — fòghlam (m)
            ag ionnsachadh
leaving — a fàgail
leg — cas (f) (see 'foot')
lesson — leasan (m)
letter — litir (f) G litreach
            N litrichean
letting — a' leigeil
level — còmhnard
Lewis — Leòdhas (m)
Lewisman — Leòdhasach (m)
liberal — fial(aidh)
library — leabhar-lann (m)
life — beatha (f) N beathannan
lifting — a' togail
light — solas (m) N solais/solasan
lighting — a' lasadh
lighthouse — taigh-solais (m)
lightning — dealanach (m)
the like of — a leithid de

limit — crìoch (f) (see 'boundary')
oirthir (f)
lion — leòmhann (m)
lip — bile (f)
listening (to) — ag èisdeachd (ri)
little — beag (lugha)
a little — beagan
lively — beothail
load — eallach (m/f) N eallaichean
loch — loch (m) G locha
N lochan/lochannan
locking — a' glasadh
loneliness — aonranachd (f)
lonely — aonranach
looking — ag amharc
a' coimhead
a sealltainn
losing — a' call
a lot — mòran
loud — àrd
loud shout — iollach (f)
N iollaichean
love — gràdh (m), gaol (m)
lovely — brèagha, maiseach
low — ìosal (ìsle)
lowing — a' geumnaich
Lowlands — A' Ghalltachd
luring — a' tàladh
lying — a' laighe

M

machine — beairt (m)
machine, sewing — beairt-
fuaigheil (f)
maid — ainnir (f), rìbhinn (f)
maiden — gruagach (f),
maighdean (f)
making — a' dèanamh
male — fireannach
man — duine (m) N daoine
fear (m) G/N fir
old man — bodach (m)
manner — dòigh (f)

many — mòran
many a — iomadh
map — iùl-chairt (f)
mare — làir (f) G làire or làrach
N làirichean
married — pòsda
marrying — a' pòsadh
marsh — lòn (m) N lòintean
mast — crann (m) G/N croinn
master — maighstir (m)
matter — gnothach (m)
N gnothaichean
meaning — a' ciallachadh
meat — feòil (f) (see 'flesh')
medal — bonn (m) G/N buinn
meeting — coinneamh (f)
a' coinneachadh
member — ball (m) G/N buill
memory — cuimhne (f)
merchant — ceannaiche (m)
merciful — iochdmhor
mercy — iochd (f)
tròcair (f)
method — dòigh (f)
mewing — a' mìogail
mid-day — meadhon-là
middle — meadhon (m)
midge — meanbh-chuileag (f)
midnight — meadhon-oidhche
milk — bainne (m)
mill — muileann (m) G muilinn
N muileannan
miller — muillear (m)
mind — aigne (f), inntinn (f)
minister — ministear (m)
N ministearan
minute — mionaid (f)
mirror — sgàthan (m) N sgàthanan
missionary — soisgeulach (m)
mist — ceò (m) (see 'fog')
money — airgead (m) G airgid
month — mìos (m) G mìosa
N mìosan
moon — gealach (f)

moor — monadh (m)
    N monaidhean
    mòinteach (f)
more — barrachd, tuilleadh
morning — madainn (f) G maidne
    N maidnean
mother — màthair (f) G màthar
    N màthraichean
mountain — beinn (f) N beanntan
    G Pl bheann
mouse — luch (f) G lucha
mouth — beul (m) G/N beòil
moving — a' gluasad
    a' carachadh
much — mòran
Mull — Muile
music — ceòl (m) G ciùil
mystery — diamhaireachd (f)

N
nail — iongna (f) (see 'claw')
    tarag (f)
    tarann (m)
naked — rùisgte, lom
name — ainm (m) N ainmean
naming — ag ainmeachadh
narrow — caol, cumhang
near — faisg air, dlùth air
nearing — a' dlùth(ach)adh
neat — dòigheil, sgiobalta
neck — amhach (f) N amhaichean
need — dìth (m) G dìthe
    èiginn (f)
    feum (m) G feuma
needle — snàthad (f)
neighbour — nàbaidh (m)
    N nàbaidhean
nest — nead (m) G nid
nettle — deanntag (f), feanntag (f)
new — ùr, nuadh
news — naidheachd (f)
the news — na naidheachdan
newspaper — pàipear-naidheachd
    (m)

night — oidhche (f)
    N oidhcheannan
noble — uasal (uaisle)
noise — faram (m)
    fuaim (m) N fuaimean
noisy — faramach, fuaimneach
nook — oisinn (f)
north — tuath
Norway — Lochlann (m)
nose — sròn (f)
note — nota N notaichean
noticing — a' mothachadh
Nova Scotia — Alba Nuadh
novel — annasach, nuadh
novelty — annas (m) N annasan
now — nise, a-nis
just now — an-dràsda
now and again — an-dràsda
    's a-rithist
number — àireamh (f)
nurse — banaltrum (f)

O
oak — darach (m)
oar — ràmh (m) N ràmhan
oats — coirce (m)
oatcakes — aran-coirce
Oban — an t-Oban
object — cuspair (m) N cuspairean
obliging — èasgaidh
ocean — cuan (m) N cuantan
of — de
old — sean, seann, aosda
old man — bodach (m)
old woman — cailleach (f)
on — air
one — fear (m), tè (f), aon
only — a-mhàin
open — fosgailte
opening — a' fosgladh
opinion — beachd (m) G beachda
    barail (f)
opportunity — cothrom (m)
    N cothroman

or — no
or else — air neo
order — òrdugh (m) N òrduighean
ordering — ag òrdachadh
orderly — dòigheil
origin — tùs (m)
originally — air tùs, air thùs
out(wards) — a-mach
outside — a-muigh
over — os cionn (+gen.)
        thairis air, thall (+gen.)
owl — cailleach-oidhche (f)

P

page — duilleag (f)
pain — pian (f) G pèin N piantan
       gort (f)
painful — goirt
palace — lùchairt (f)
palm — bas (f) G boise
paper — pàipear (m)
       G pàipeir N pàipearan
parents — pàrantan
parish — sgìre (f), sgìreachd (f)
parting — a' dealachadh
partridge — cearc-thomain (f)
pass — bealach (m)
patience — foighidinn (f)
paw — spòg (f)
paying — a' pàigheadh
peace — fois (f), sìth (f)
peaceful — sìtheil
peat — mòine (f) G mòna
peeling — a' rùsgadh
pen — peann (m) G/N pinn
penny — sgillinn (f)
people — daoine, muinntir (f)
       luchd (f), sluagh (m)
pepper — piobar (f) = peabar
Perth — Peairt
pheasant — cearc-choille (f)
physician — lighiche (m)
picture — dealbh (m)
       G deilbh N dealbhan

pier — cidhe (m)
pig — muc (f)
pillow — cluasag (f)
pine — giuthas (m)
pipe — pìob (f) pìoba
piper — pìobair (m)
pistol — dag(a) (m) N dagaichean
pit — slochd (m)
place — àite (m)
       N àiteachan or àitean
plain — còmhnard (m)
       N còmhnardan
       machair (f) G machrach
       N machraichean
planet — planaid (f)
planting — a' suidheachadh,
       a' stèidheachadh
plate — truinnsear (m)
play — dealbh-chluich (m)
playing — a' cluich
pleasant — taitneach, tlachdmhor
please — mas e do thoil e
       mas e ur toil e
pleased — toilichte
plenty — gu leòr
plough — crann (m) (see 'mast')
ploughing — a' treabhadh
poet — bàrd (m), filidh (m)
       N filidhean
poetry — bàrdachd (f)
policeman — poileasman (m)
polite — modhail
pool — linn (f)
poor — bochd
porridge — lite (f)
port — port (m) G/N puirt
possible — comasach
pot — poit (f)
potato — buntàta (m)
pound — nota (m) N notaichean
       punnd (m) G/N puinnd
pouring — a' sileadh
       a' lìonadh
poverty — airc (f)

powder — pùdar (m)
power — cumhachd (m)
    N cumhachdan
praising — a' moladh
preaching — a' searmonachadh
precious stone — leug (f) G lèig
preparing — a' deasachadh
    ag ullachadh
preserving — a' gleidheadh
pretty — maiseach
price — prìs (f)
priest — sagart (m)
    N sagartan or sagairtean
primrose — sòbhrach (f)
    N sòbhraichean
    sòbhrag (f)
print — clò(dh) (m) G clodha
    N clodhan
printing — a' clò-bhualadh
prison — prìosan (m)
    N prìosanan
prisoner — prìosanach (m)
prize — duais (f)
professor — ollamh (m) N ollamhan
progress — adhartas (m)
promising — a' gealladh
    gealltanach
proof — dearbhadh (m)
    N dearbhaidhean
prose — rosg (m)
protecting — a' dìon(adh)
protection — sgàth (f)
proverb — seanfhacal (m)
pudding, black — marag dhubh (f)
pullet — eireag (f)
pulling — a' tarraing
pulpit — cùbaid (f)
pupil — sgoilear (m)
    G sgoileir N sgoilearan
puppy — cuilean (m) N cuileanan
putting — a' cur

Q

quarter — cairteal (m)
quay — cidhe (m)

queen — ban-rìgh (f)
question — ceist (f)
questioning — a' ceasnachadh
quiet — sàmhach
quietness — sàmhchair (f)

R

rabbit — coinean (m) N coineanan
rag — luideag (f)
rare — annasach, tearc
rarity — annas (m) N annasan
rat — rodan (m)
raven — fitheach (m) G/N fithich
reaching — a' ruigheachd
    a' ruigsinn
reading — a' leughadh
ready — deiseil
rearing — ag àrachadh
reason — adhbhar (m)
    N adhbhairean
rebellion — ar-a-mach (m)
    ceannairc (f)
red — dearg, ruadh
reed, rush — luachair (f)
    G/N luachrach
refusing — a' diùltadh
relief — faothachadh (m)
remedy — ìoc-shlàint (f)
remembering — a' cuimhneachadh
remote — iomallach
renewal — ath-nuathadh (m)
renewing — ag ath-nuadhachadh
    ag ùrachadh
report — iomradh (m)
    N iomraidhean
respect — meas (m), urram (m)
respectful — measail
restless — mì-stòlda
returning — a' tilleadh
reverend — urramach (m)
rich — beartach
right — ceart (adj.)
    ceartas (m)
ring — fàinne (f)

rising — ag èirigh
river — abhainn (f) G aibhne
      N aibhnean or aibhnichean
road, way — slighe (f)
      rathad (m)
      N rathaidean
roaring — a' beucaich
robin — brù-dhearg (f)
rock — creag (f) G creige
rocking — luasganach
rod — slat (f)
roe-deer — earb (f)
      G earba N earbaichean
roof — mullach (m) N mullaichean
room — rùm (m) G ruma
      N rumannan, seòmar
      (m) N seòmraichean
root — freumh (m) N freumhan
rope — ròp (m) G ròpa N ròpan
rose — ròs (m) N ròsan
rough — garbh
round — cruinn
rowan — caorann (m)
ruin — làrach (f) N làraichean
running — a' ruith
rushing — a' deann-ruith
Russia — Ruisia, An Ruis
rye — seagal (m)

S
Sabbath — Sàbaid (f)
sad — brònach
safe — sàbhailte
sail — seòl (m) G/N siùil
sailing — a' seòladh
sailor — seòladair (m)
sake — sgàth (m)
salesman — reiceadair (m)
      ceannaiche (m)
salmon — bradan (m)
salt — salann (m)
sand — gaineamh (f) G gaineimh
sated, satisfied — sàsaichte
satisfied — riaraichte

satisfying — a' riarachadh
saucer — sàsair (m)
saying — ag ràdh
saw — sàbh (m)
scarce — tearc, gann
scarcity — gainnead (m), gort (f)
scent — fàile(adh) (m)
scholar — sgoilear (m)
      G sgoileir N sgoilearan
scissors — deamhas (m)
school — sgoil (f) N sgoiltean
secondary school — àrd-sgoil
schooling — sgoilearachd (f)
schoolmaster — maighstir-sgoile
      (m)
scooter — scutair (m)
Scotland — Alba (f)
Scotsman — Albannach
scraping — a' sgrìobadh
screech — sgriachail (f)
sea — muir (f) G mara
      N marannan
      fairge (f) N fairgeannan/
             fairgeachan
seal — ròn (m)
searching — a' rannsachadh
season — aimsir (f),
      àm bliadhna (m)
seat — suidheachan (m)
seeing — a' faicinn
seizing — a' glacadh
selling — a' reic
sense — ciall (f) G cèille
separated — eadar-dhealaichte
serpent — nathair (f)
      G nathrach
      N nathraichean
sewing — a' fuaigheal
sewing-machine — beairt-
      fuaigheil (f)
shade, shadow — sgàil (f)
shaking — a' crathadh
shame — nàire (f)
sharp — geur

shears — deamhas (m)
sheep — caora (f) G caorach
            N caoirich
shelf — sgeilp (f)
shell — slige (f)
shelter — fasgadh (m)
sheltered — fasgach
shepherd — buachaill (m)
            cìobair (m)
shield — sgiath (f) G sgèith
            N sgiathan
shining — a' boillsgeadh
         a' deàrrsadh
         a' deàlrachadh
         a' soillseadh
shinty — camanachd (f)
shinty stick — caman (m)
ship — long (f) G luinge
shire — siorr(am)achd (f)
shirt — lèine (f) N lèintean
shoe — bròg (f)
shoemaker — greusaiche (m)
shop — bùth (f) G bùtha
            N bùthan
          bùithtean or
          bùthannan
shore — cladach (m) N cladaichean
         tràigh (f) G tràghad
short — goirid (giorra)
shoulder — gualann (f) N guaillean
shouting — ag èigheachd
shower — fras (f) G froise
shutting — a' dùnadh
sick — tinn
sickness — tinneas (m)
            N tinneasan
side — taobh (m) N taobhan
sight — sealladh (m)
            N seallaidhean
silence — sàmhchair (f)
silent — sàmhach
silk — sìoda (m) N sìodachan
silver — airgead (m)
similar to — coltach ri

singer — seinneadair (m)
singing — a' seinn
sister — piuthar (f) G peathar
            N peathraichean
site — làrach (f) N làraichean
sitting — a' suidhe
situated — suidhichte
situation — suidheachadh (m)
skin — craiceann (m) G craicinn
            N craicnean
skipper — sgiobair (m)
sky — iarmailt (f)
       nèamh (m) G nèimh
       N nèamhan
       speur (m) G speura
       N speuran
Skye — An t-Eilean Sgitheanach
slate — sglèat (m) G sglèata
            N sglèatan
sleeping — a' cadal
slope — sliabh (m) G slèibh
            N slèibhtean
slow — mall
small — beag (lugha)
small, wiry — meanbh
smile — snodha-gàire (m)
smoke — smùid (m), toit (f)
smooth — còmhnard
snake — nathair (f) (see 'serpent')
snow — sneachd (m)
snowdrift — cabhadh sneachda (m)
society — comann (m)
solan goose — sùlair (m)
            N sùlairean
soldier — saighdear (m)
         G saighdeir
         N saighdearan
sole — bonn (m) G/N buinn
son — mac (m) G/N mic
song — dàn (m), òran (m)
soon — a dh' aithghearr
soot — sùith (m)
sore — goirt
sorrow — bròn (m), gruaim (f)

sort — seòrsa (m) N seòrsachan
sound — fuaim (m/f)
south   deas
spade — spaid (f) N spaide(ach)an
Spain — An Spàinn
sparrow — gealbhonn (m)
               G gealbhuinn
               N gealbhonnan
speaking — a' bruidhinn
                   a' labhairt
special — àraidh, sònraichte
spectacles — speuclairean
speech — òraid (f)
speed — luathas (m)
spider — damhan-allaidh (m)
spirit — aigne (f)
             inntinn (f)
             spiorad (m) N spioradan
spoon — spàin (f)
spring — Earrach (m)
St. Kilda — Hiort
stable — stàball (m) N stàballan
stag — damh (m)
stair — staidhear (f)
             G staidhre
             N staidhrichean
standing — a' seasamh
star — rionnag (f), reul (m)
             G rèil
             N reultan
starling — druid (f)
starting — a' tòiseachadh
state — cor (m) G/N cuir
             staid (f)
staying — a' còmhnaidh
               a' fuireach (d)
               a' tàmh
steering — a' stiùireadh
steersman — stiùireadair (m)
steep — corrach
stick — bata (m) N bataichean
             slat (f)
still — fhathast
Stirling — Sruighle

stirring — a' carachadh
stocking — stocainn (f)
stomach — brù (f) G broinne
                   N bronnaichean
             stamag (f)
stone — clach (f) G cloiche
storm — stoirm (f) G stuirme
Stornoway — Steòrnabhagh
story — sgeul (m) G sgeòil
             N sgeòil or sgeulan
             sgeulachd (f)
stout — reamhar
straight — dìreach
strait — caol (m) N caoiltean
strange — neònach
stranger — coigreach (m)
strap — iall (f) G èille
stream — allt (m) G/N uillt
                 sruth (m) N sruthan
street — sràid (f)
strength — neart (m) G neirt
stretching — a' sìneadh
striking — a' bualadh
string — sreang (f) G sreinge
stripped — rùisgte
stripping — a' rùsgadh
strong — làidir (treasa)
student — oileanach (m/f)
studying — ag ionnsachadh
subject — cuspair (m)
sudden — obann
suddenly — gu h-obann
sugar — siùcar (m)
suit — deise (f) N deiseachan
suitable — freagarrach
summer — samhradh (m)
                   N samhraidhean
summit — mullach (m)
                 N mullaichean
sun — grian (f) G grèine
supper — suipear (f) G suipearach
supple — subailte
supporting — a' taic(eadh)
sure — cinnteach

surface — uachdar (m)
   N uachdaran
surprise — iongantas (m)
   N iongantasan
   iongnadh (m)
   N iongnaidhean
surprising — iongantach
swallow — gòbhlan (m)
   N gòbhlanan
swallowing — a' slugadh
swan — eala (f) N ealachan
sweat — fallas (m)
sweet — milis (mìlse)
   binn (of voice)
sweets — mìlsean, rudan milis,
   siùcairean
Sweden — An t-Suain
swift — luath
swimming — a' snàmh
swinging — luasganach
sword — claidheamh (m)
   N claidhmhnean

T

table — bòrd (m) G/N bùird
tack — tarag (f)
tail — earball (m)
tailor — tàillear (m) N tàillearan
taking — a' gabhail
talkative — briathrail
Tarbert — An Tairbeart
tartan — breacan (m)
taste — blas (m)
tasting — a' blasadh
tea — tea
teacher — fear-teagaisg (m)
   bean-teagaisg (f)
teaching — a' teagasg
team — buidheann (f) G buidhne
   N buidhnean
tern — steàrnan (m) N steàrnanan
terrible — uamhasach
terror — uamhas (m) N uamhasan

test — deuchainn (f)
testament — tiomnadh (m)
   N tiomnaidhean
New Testament — Tiomnadh
   Nuadh
Old Testament — Seann Tiomnadh
thankful — taingeil
thanks — taing (f)
thatch — tughadh (m)
thigh — sliasaid (f) G slèisde
   N slèisdean
thin — tana
thinning — a' tanachadh
thing — nì (m) N nithean
   rud (m) N rudan
thinking — a' saoilsinn
   a' smaoin(t)eachadh
   a' smuain(t)eachadh
thirst — pathadh (m)
thistle — fòghnan (m)
thong — iall (f) (see 'strap')
thought — smuain (f)
   N smuaintean
threshold — stairsneach (f)
   G stairsnich
   N stairsnichean
through — tro
throughout — air feadh (+gen.)
throwing — a' tilgeil
thrush — smeòrach (f)
   G smeòraich
   N smeòraichean
thumb — òrdag mhòr (f)
thunder — tàirneanach (m)
tidying — a' sgioblachadh
time — uair (f) G uarach
time — àm (m) N amannan
   tìde (m)
   ùine (f)
tinker — ceàrd (m) N ceàrdan or
              ceàrdaidhean
tired — sgìth
today — an-diugh
toe — òrdag (f)

together with — còmhla ri
cuide ri
maille ri
toil — saothair (f)
G saothrach
N saothraichean
tomorrow — a-màireach
tongue — teanga (f)
tonight — a-nochd
too — ro
tooth — fiacaill (f) N fiaclan
toothache — dèideadh (m)
top — mullach (m) N mullaichean
bàrr (m)
torch — lòchran (m), trillsean (m)
tossing — luasganach
tourist — fear-turais
N luchd-turais
towards — a dh'ionnsaigh (+gen.)
town — baile (m) N bailtean
tracing — a' lorg(adh)
training — ag ionnsachadh
tranquility — fois (f)
translating — ag eadar-
theangachadh
travelling — a' siubhal
tree — craobh (f)
tribe — treubh (f) G trèibh
trick — car (m) G cuir
trip — cuairt (f), sgrìob (f)
trousers — briogais (f)
trout — breac (m) G/N bric
truth — fìrinn (f)
trying — a' feuchainn
turning — a' tionndadh
twilight — ciaradh (m)

U

Uist — Uibhist
uncomfortable — mì-chomhfhurtail
uncommon — neo-chumanta
under — fo
underneath — fodha, shìos
understanding — a' tuigsinn
tuigse (f)

unfortunate — mì-fhortanach
university — oilthigh (m)
until — gus
unusual — neo-àbhaisteach
up (above) — shuas
up(wards) — suas
uprising — ceannairc (f)
USA — Na Stàitean Aonaichte
use — feum (m)
usual — àbhaisteach

V

valuable — luachmhor
vegetable — lus (m) N lusan
vehicle — carbad (m) N carbadan
verse — rann (f) N rannan
very — glè
vessel — soitheach (m)
N soithichean
vestibule — for-sheòmar (m)
view — sealladh (m)
N seallaidhean
village — baile (m) (see 'town')
virgin — ainnir (f)
virtue — buadh (f)
visiting — a' cèilidh
a' tadhal
voice — guth (m) N guthan/
guthannan

W

waiting — a' feitheamh
waking — a' dùsgadh
Wales — A' Chuimrigh
walking — a' coiseachd
wall — balla (m) N ballachan
want — dìth (m), èiginn (f),
feum (m)
wanting — ag iarraidh
war — cogadh (m) N cogaidhean
warm — blàth
warmth — blàths (m)
warning — sanas (m) N sanasan
washing — a' nighe

118

water — uisge (m) N uisgeachan
   bùrn (m) G/N bùirn
waterfall — eas (m) G easa
    N easan
watching — ag amharc
wave — tonn (m) G tuinn
   N tonnan/tuinn
way (method) — dòigh (f)
way (road) — slighe (f)
weak — fann, lag
weak-minded — lag-inntinneach
weather — aimsir (f)
   tìde (m), sìde (f)
wedding — banais (f) G bainnse
    N bainnsean
week — seachdain (f)
weeping — a' caoineadh
   a' gul
welcome — fàilte (f)
well — tobar (m) N tobraichean
west — iar
wet — fliuch
wheat — cruithneachd (m)
wheel — cuibhle (f)
a while — greiseag (f)
whisky — uisge-beatha (m)
whistle — feadag (f)
white — bàn, geal (gile)
Wick — Inbhir Uig
wide — farsainn
width — farsaingeachd (f)
widow — bantrach (f)
   N bantraichean
wife — bean (f) N bean mnathan
   G mnatha bhan
   D mnaoi mnathan
wild — fiadhaich
willing — deònach, èasgaidh
wind — gaoth (f)
window — uinneag (f)
wine — fìon (m)
wing — sgiath (f) (see 'shield')
winking — a' priobadh

winning — a' cosnadh
winter — geamhradh (m)
wiping — a' suathadh
wiry — meanbh
wisdom — gliocas (m)
wise — glic
wish — deòin (f)
with — le
withering — a' seargadh
wolf — madadh (m) N madaidhean
woman — bean (f) (see 'wife)
   boireannach (M)
   tè (f)
wood — fiodh (m) G fiodha
   coille (f) N coilltean
word — briathar (m) N briathran
   facal (m) N faclan
wordy — briathrail
work — obair (f) G oibre
   N oibrichean
working — ag obair
world — saoghal (m)
worldly — talmhaidh
worth — fiach (m) G fèich
   N fiachan
worthy — gasda
wounding — a' leònadh
wren — dreathan-donn (m)
wrist — caol an dùirn (m)
writer — sgrìobhaiche (m)
writing — a' sgrìobhadh
wrong — ceàrr

Y
year — bliadhna (f) N bliadhnachan
yesterday — an-dè
yet — fhathast
yielding — a' gèilleadh
young — òg
young man — gille (m) N gillean
    òigear (m)
    òganach (m)
youth (abstract) — òigridh (f)